Diogenes Taschenbuch 23000

D1533122

Patrick Süskind

Der Kontrabaß

Diogenes

Das Stück entstand 1980
und wurde am 22. September 1981
mit Nikolaus Paryla als
Regisseur und Darsteller des Kontrabassisten
im Cuvilliétheater in München uraufgeführt
Die Erstausgabe erschien 1984
im Diogenes Verlag
Alle Rechte vorbehalten, insbesondere das
der Aufführung durch Berufs- und
Laienbühnen und das des öffentlichen Vortrags,
auch einzelner Abschnitte
Diese Rechte sind nur von der
Diogenes Verlag AG, Sprecherstraße 8,
CH-8032 Zürich, zu erwerben
Umschlagmotiv von Sempé

Veröffentlicht als Diogenes Taschenbuch, 1997
Alle Rechte vorbehalten
Copyright © 1984, 1995
Diogenes Verlag AG Zürich
www.diogenes.ch
80/05/8/8
ISBN 3 257 23000 1

Der Kontrabaß

Zimmer. Eine Schallplatte wird gespielt, die Zweite Sinfonie von Brahms. Jemand summt mit. Schritte, die sich entfernen, wiederkommen. Eine Flasche wird geöffnet, der Jemand schenkt sich Bier ein.

Moment... gleich... – Jetzt! Hören Sie das? Da! Jetzt! Hören Sie's? Gleich kommt's nochmal, die gleiche Passage, Moment.

Jetzt! Jetzt hören Sie's! Die Bässe meine ich. Die Kontrabässe...

Er legt den Tonarm von der Platte. Ende der Musik.

... Das bin ich. Beziehungsweise wir. Die Kollegen und ich. Staatsorchester. Zweite von Brahms, es ist schon beeindruckend. In dem Fall waren wir zu sechst. Eine mittelstarke Besetzung. Insgesamt sind wir acht. Manchmal werden wir verstärkt von außerhalb auf zehn. Auch zwölf ist schon vorgekommen, das ist stark, kann ich Ihnen sagen, sehr stark. Zwölf Kontrabässe, wenn die wollen – theoretisch jetzt –, die können Sie mit einem ganzen Orchester nicht in Schach halten. Schon rein physikalisch nicht. Da können die andern einpakken. Aber ohne uns geht erst recht nichts. Können Sie jeden fragen. Jeder Musiker wird Ihnen gern bestätigen, daß ein Orchester jederzeit auf den Dirigenten verzichten kann, aber nicht auf den Kontrabaß. Jahrhundertelang sind Orchester ohne Dirigenten ausgekommen. Der Dirigent ist ja auch musikentwicklungsgeschichtlich eine Erfindung allerjüngsten Datums. Neunzehntes Jahrhundert. Und auch ich kann Ihnen bestätigen, daß sogar wir im Staatsorchester gelegentlich vollständig am Dirigenten vorbeispielen. Oder über ihn hinweg. Manchmal spielen wir sogar über den Dirigenten hinweg, ohne daß er es selber merkt. Lassen den da vorn hinpinseln, was er mag und rumpeln unsern Stiefel runter. Nicht beim GMD. Aber bei einem Gastkapellmeister jederzeit. Das sind geheimste Freuden. Kaum mitzuteilen. – Aber das am Rande.

Auf der andern Seite ist eines unvorstellbar, nämlich ein Orchester ohne Kontrabaß. Man kann sogar sagen, daß Orchester – Definition jetzt – überhaupt erst da anfängt, wo ein Baß dabei ist. Es gibt Orchester ohne erste Geige, ohne Bläser, ohne Pauken und Trompeten, ohne alles. Aber nicht ohne Baß.

Worauf ich hinauswill, ist die Feststellung, daß der Kontrabaß das mit Abstand wichtigste Orchesterinstrument schlechthin ist. Das sieht man ihm nicht an.

Aber er bildet das gesamte orchestrale Grundgefüge, auf dem das übrige Orchester überhaupt erst fußen kann, Dirigent eingeschlossen. Der Baß ist also das Fundament, auf dem sich dieses ganze herrliche Gebäude erhebt, bildlich. Nehmen Sie den Baß heraus, dann entsteht eine reinste babylonische Sprachverwirrung, Sodom, in dem niemand mehr weiß, warum er überhaupt Musik macht. Stellen Sie sich vor – Beispiel jetzt – Schubert h-Moll Sinfonie *ohne* Bässe. Eklatant. Sie können's vergessen. Sie können die gesamte Orchesterliteratur von A bis Z – und zwar was Sie wollen: Sinfonie, Oper, Solistenkonzerte –, Sie können es so wie es ist wegschmeißen, wenn Sie keine Kontrabässe haben, so wie es ist. Und fragen Sie einmal einen Orchestermusiker, wann er zum Schwimmen anfängt! Fragen Sie ihn! Wenn er den Kontrabaß nicht mehr hört. Ein Fiasko. In einer Jazzband ist das ja noch deutlicher. Eine

Jazzband fliegt explosionsartig auseinander – bildlich jetzt –, wenn der Baß aussetzt. Den andern Musikern erscheint dann mit einem Schlag alles sinnlos. Im übrigen lehne ich Jazz ab, auch Rock und diese Dinge. Denn als ein im klassischen Sinne am Schönen, Guten und Wahren ausgerichteter Künstler hüte ich mich vor nichts so sehr wie vor der Anarchie der freien Improvisation. Aber das am Rande. –

Ich wollte nur einleitend feststellen, daß der Kontrabaß *das* zentrale Orchesterinstrument ist. Im Grunde weiß das auch jeder. Es gibt bloß keiner offen zu, weil der Orchestermusiker naturgemäß leicht eifersüchtig ist. Wie stünde unser Konzertmeister mit seiner Violine da, wenn er zugeben müßte, daß er ohne den Kontrabaß dastünde wie der Kaiser ohne Kleider – ein lächerliches Symbol der eigenen Unwichtigkeit und Eitelkeit? Nicht gut stünde er da.

Gar nicht gut. Ich darf einen Schluck trinken...

Er trinkt einen Schluck Bier.

... Ich bin ein bescheidener Mensch. Aber als Musiker weiß ich, was der Boden ist, auf dem ich stehe; die Muttererde, in die hinein wir alle verwurzelt sind; der Kraftquell, aus dem heraus sich jeder musikalische Gedanke speist; der eigentlich zeugende Pol, aus dessen Lenden – bildlich – der musikalische Same quillt... – das bin ich! – Ich meine der Baß ist das. Der Kontrabaß. Und alles andere ist Gegenpol. Alles andere wird erst durch den Baß zum Pol. Zum Beispiel Sopran. Oper jetzt. Sopran als – wie soll ich sagen ... wissen Sie, wir haben da jetzt eine junge Sopranistin an der Oper, Mezzosopran, – ich habe eine Menge Stimmen gehört, aber das ist wirklich anrührend. Ich fühle mich zutiefst angerührt von dieser

Frau. Ein Mädchen beinahe noch, Mitte zwanzig. Ich selbst bin fünfunddreißig. Im August werde ich sechsunddreißig. Immer in den Orchesterferien. Eine herrliche Frau. Beflügelnd... das am Rande. –

Also: Sopran – jetzt Beispiel – als das entgegengesetzteste, was sich zum Kontrabaß denken läßt, menschlich und instrumentell-klanglich, wäre dann... wäre dann dieser Sopran... oder Mezzosopran... genau jener Gegenpol, von dem aus... oder besser: zu dem hin... oder mit dem vereint der Kontrabaß... ganz unwiderstehlich – quasi – den musikalischen Funken schlägt, von Pol zu Pol, von Baß zu Sopran – oder Mezzo hinaufzu, aufwärts – allegorisch die Lerche... göttlich, hoch da droben, in universaler Höhe, ewigkeitsnah, kosmisch, sexuell-erotisch-unendlich-triebhaft, gleichsam... und doch eingebunden in das Spannungsfeld des Magnetpols, der vom Sockel des erdnahen

Kontrabasses abstrahlt, archaisch, der Kontrabaß ist archaisch, wenn Sie verstehen, was ich meine... Und nur so ist Musik möglich. Denn in dieser Spannung von hier und dort, von hoch und tief, da spielt sich alles ab, was einen Sinn hat in der Musik, da zeugt sich musikalischer Sinn und Leben, ja Leben schlechthin. – Also ich sage Ihnen, diese Sängerin – das beiseite –, sie heißt übrigens Sarah, ich sage Ihnen, die kommt einmal ganz groß raus. Wenn ich was verstehe von Musik, und ich verstehe etwas davon, dann kommt die ganz groß raus. Und dazu tragen wir bei, wir vom Orchester, und jetzt speziell wir Kontrabassisten, also ich. Das ist schon eine befriedigende Sache. Gut. Also Rekapitulation jetzt: Der Kontrabaß ist *das* grundlegende Orchesterinstrument wegen seiner fundamentalen Tiefe. In einem Wort ist der Kontrabaß das tiefste Streichinstrument. Er geht hinunter bis zum Kontra-E. Ich darf

Ihnen das vielleicht einmal vorspielen...
Moment...

Er nimmt noch einen Schluck Bier, steht auf, nimmt sein Instrument, spannt den Bogen.

... übrigens ist bei meinem Baß das Beste der Bogen. Ein Pfretzschner-Bogen. Der ist heut seine zweieinhalbtausend wert. Gekauft hab ich ihn für dreihundertfuchzig. Es ist ja ein Wahnsinn, wie die Preise in den letzten zehn Jahren gestiegen sind auf dem Gebiet. Naja. –
Also jetzt passen'S auf!...

Er spielt die tiefste Saite.

... Hören'S das? Kontra-E. Exakt 41,2 Hertz, wenn er richtig gestimmt ist. Gibt auch Bässe, die noch tiefer gehen. Bis Kontra-C oder sogar Subkontra-H. Das wären dann 30,9 Hertz. Aber dafür braucht man einen Fünf-Saiter. Meiner hat vier. Fünf würde meiner nicht aushalten, da würde es ihn zerreißen. Im Orchester haben wir welche mit fünf, man braucht's für Wagner beispielsweise. Klingen tut's nicht besonders, weil 30,9 Hertz ist eh kein Ton mehr in dem Sinn, können'S sich vorstellen, wo schon das...

Er spielt abermals das E.

... kaum mehr ein Ton ist, mehr eine Reiberei, etwas, wie soll ich sagen, etwas Notgedrungenes, das schwirrt mehr als es klingt. Also mir reicht mein Tonumfang vollständig. Nach oben hin sind mir nämlich theoretisch keine Grenzen gesetzt, bloß praktisch. Also beispielsweise kann ich, wenn ich das Griffbrett voll ausnutze bis c-drei spielen...

Er spielt.

... so, c-drei, dreigestrichenes c. Und jetzt werden Sie sagen ›Ende‹, weil weiter als das Griffbrett reicht, kann man ja keine Saite drücken. Denken Sie! Und jetzt – ...

Er spielt Flageolett.

... und jetzt? ...

Er spielt noch höher.

... und jetzt? ...

Er spielt noch höher.

... Flageolett. So heißt das Verfahren. Finger drauflegen und Obertöne herauskitzeln. Wie es physikalisch funktioniert, kann ich Ihnen jetzt nicht erklären, das führt zu weit, das können'S dann anschließend selber im Lexikon nachschaun. Jedenfalls könnte ich da theoretisch so hoch spielen, daß man's nicht mehr hört. Moment...

Er spielt einen unhörbar hohen Ton.

... Hören Sie? Das hören Sie nicht mehr. Sehen Sie! Soviel steckt drin im Instrument, theoretisch-physikalisch. Nur herauskriegen tut man es nicht, praktisch-musikalisch. Das ist bei den Bläsern nicht anders. Und beim Menschen überhaupt – jetzt sinnbildlich. Ich kenne Menschen, in denen steckt ein ganzes Universum, unermeßlich. Aber herauskriegen tut man es nicht. Ums Verrecken nicht. Das am Rande. –
Vier Saiten. E – A – D – G ...

Er spielt sie pizzicato.

... Alles Stahl mit Chrom umsponnen. Früher Darm. Auf der G-Saite, also hier oben, wird man hauptsächlich solistisch tätig, wenn man kann. Kostet ein Vermögen, eine Saite. Ich glaube, ein Satz Saiten kostet heute hundertsechzig Mark. Wo ich angefangen habe, hat er vierzig gekostet. Es ist ein Wahnsinn, die Preise. Gut. Also vier Saiten, Quartenstimmung E – A – D – G, respektive beim Fünfsaiter noch C oder H. Das ist heut uniform so von Chikago-Symphonie bis Moskauer Staatsorchester. Aber bis dahin waren das Kämpfe. Verschiedene Stimmungen, verschiedene Saitenzahl, verschiedene Größe – es gibt kein Instrument, bei dem es soviele Typen gegeben hat wie beim Kontrabaß – Sie erlauben, daß ich nebenher Bier trinke, ich habe einen wahnsinnigen Flüssigkeitsverlust. Im 17. und 18. Jahrhundert das reinste Chaos: Baßgambe, Großbaßviola, Violone mit Bünden, Subtraviolone ohne Bünde, Terz-Quart-Quintenstimmung, drei-, vier-, sechs-, achtsaitig, f-Schallöcher, c-Schalllöcher – zum Wahnsinnigwerden. Noch bis ins 19. Jahrhundert haben Sie in Frankreich und England einen Dreisaiter in Quintenstimmung; in Spanien und Italien einen Dreisaiter in Quartenstimmung; und in Deutschland und Österreich einen Viersaiter in Quartenstimmung. Wir haben uns dann durchgesetzt mit dem quartenstimmigen Viersaiter, weil wir in der Zeit einfach die bessern Komponisten gehabt haben. Obwohl ein dreisaitiger Baß besser klingt. Nicht so kratzig, melodiöser, einfach schöner. Aber dafür haben wir Haydn gehabt, Mozart, die Bachsöhne. Später Beethoven und die ganze Romantik. Denen war das Wurscht wie der Baß klingt. Für die war der Baß nichts als ein Geräuschteppich, auf den sie ihre sinfonischen Werke hinstellen konnten – praktisch das Größte, was bis auf den heutigen Tag auf dem Gebiet der Musik zu hören ist. Das steht ungelogen auf den Schultern des viersaitigen Kontra-

basses, seit 1750 bis ins zwanzigste Jahrhundert, die gesamte orchestrale Musik aus
zwei Jahrhunderten. Und mit dieser Musik
haben wir den Dreisaiter hinweggefegt.

Er hat sich natürlich gewehrt, können Sie
sich vorstellen. In Paris, am Konservatori-
um und an der Oper, haben sie bis 1832 noch
den Dreisaiter gespielt. 1832 ist Goethe
gestorben, bekanntlich. Aber dann hat
Cherubini damit aufgeräumt. Luigi Cherubini. Ein Italiener zwar, aber musikalisch
ganz mitteleuropäisch ausgerichtet. Flog
auf Gluck, Haydn, Mozart. Er war damals
Obermusikintendant in Paris. Und er hat
durchgegriffen. Können'S sich vorstellen,
was los war. Ein Aufschrei der Empörung
ging durch die Reihen der französischen
Kontrabassisten, daß ihnen der germano-
phile Italiener den Dreisaiter wegnimmt.
Der Franzose empört sich ja gern. Wenn
irgendwo eine revolutionäre Stimmung
aufkommt, ist der Franzose ja dabei. Das

war im 18. Jahrhundert so, im 19. Jahrhundert war das so, und das geht durch bis ins 20. Jahrhundert, bis in unsere Tage. Ich war Anfang Mai in Paris, da hat gestreikt die Müllabfuhr, die U-Bahn, dreimal am Tag haben sie den Strom abgestellt und demonstriert, 15 000 Franzosen. Sie können sich nicht vorstellen, wie hinterher die Straßen ausgeschaut haben. Kein Laden, den sie nicht demoliert haben, Schaufenster zerschmissen, Autos zerkratzt, Plakate und Papier und alles mögliche herumgeschmissen und einfach liegenlassen – also ich muß sagen, beängstigend. Naja. Damals jedenfalls, 1832, hat es ihnen nichts genutzt. Der dreisaitige Kontrabaß ist verschwunden, endgültig. War ja auch kein Zustand, diese Vielfalt. Obwohl es schade ist drum, denn er hat einfach wesentlich besser geklungen als … der da …

Er rumpelt an seinem Kontrabaß.

... Geringerer Tonumfang. Aber besser im Klang...

Er trinkt.

... Schauen Sie – aber so ist das häufig. Das Bessere stirbt ab, weil ihm der Zug der Zeit entgegensteht. Und dieser wälzt alles nieder. In dem Fall waren es unsere Klassiker, die alles, was sich ihnen entgegenstellte gnadenlos niedermachten. Nicht bewußt. Das möchte ich nicht sagen. Unsere Klassiker waren, für sich genommen, jeweils anständige Menschen. Schubert hätte keiner Fliege etwas zuleide tun können, und Mozart war zwar manchmal etwas derb, aber auf der andern Seite ein hochsensibler Mensch und überhaupt nicht gewalttätig. Auch Beethoven nicht. Trotz seinen Wutanfällen. Beethoven hat beispielsweise mehrere Klaviere zusammengeschlagen. Aber nie einen Kontrabaß, das muß man ihm zugute halten. Er hat allerdings auch keinen gespielt. Der einzige bessere Komponist, der Kontrabaß gespielt hat, war Brahms, ... beziehungsweise sein Vater. – Beethoven hat überhaupt kein Streichinstrument gespielt, bloß Klavier, das wird heute gern vergessen. Im Gegensatz zu Mozart, der fast so gut Geige wie Klavier gespielt hat. Meines Wissens war Mozart überhaupt der einzige größere Komponist, der sowohl seine eigenen Klavierkonzerte als auch seine eigenen Violinkonzerte spielen konnte. Höchstens Schubert noch, zur Not. Zur Not! Er hat bloß keine geschrieben. Und er war auch kein Virtuose. Nein, ein Virtuose war Schubert wirklich nicht. Schon vom Typ her nicht und auch technisch. Können Sie sich Schubert als Virtuosen vorstellen? Ich nicht. Eine recht ansprechende Stimme hat er gehabt, weniger solistisch als im Männergesangverein. Zeitweise hat Schubert jede Woche Quartett gesungen, übrigens mit Nestroy zusammen. Das haben Sie wahrscheinlich nicht gewußt. Nestroy als Baßbariton und Schubert als... – aber das gehört ja alles nicht hierher. Das hat ja nichts zu tun mit dem Problem was ich schildere. Ich meine, wenn es Sie interessiert, welche Stimmlage Schubert gehabt hat, bittesehr, das können Sie schließlich in jeder Biographie nachlesen. Brauch ich Ihnen nicht erzählen. Schließlich bin ich kein musikalisches Auskunftsbüro. –

Der Kontrabaß ist das einzige Instrument, das man umso besser hört, je weiter man davon entfernt ist, und das ist problematisch. Schauen Sie, ich habe hier bei mir zuhause alles ausgelegt mit Akustikplatten, Wände, Decken, Boden. Die Tür ist doppelt und innen versteppt. Fenster aus doppeltem Spezialglas mit gedämmtem Rahmen. Hat ein Vermögen gekostet. Aber ein Schallschutzwert von über 95%. Hören Sie was von der Stadt? Ich wohne hier mitten in der Stadt. Das glauben Sie nicht? Moment!...

Er geht zum Fenster und öffnet es. Barbarischer Lärm von Autos, Baustellen, Müllabfuhr, Preßlufthämmern etc. dringt herein.

Brüllt.

... Hören Sie das? Das ist so laut wie das Te Deum von Berlioz. Bestialisch. Sie reißen drüben das Hotel ab, und vorn an der Kreuzung kommt seit zwei Jahren eine U-Bahn-Station hin, darum wird jetzt der Verkehr hier bei uns unten vorbeigeleitet. Außerdem ist heute Mittwoch, da kommt die Müllabfuhr, das ist dieses rhythmische Schlagen... da! Dieses Schmettern, dieses brutale Hinschlagen, circa 102 Dezibel. Ja. Ich hab's einmal gemessen. Ich glaube, jetzt reicht es wieder. Ich kann jetzt wieder zumachen...

Er schließt das Fenster. Stille. Er redet leise weiter.

... So. Jetzt sagen Sie nichts mehr. Ist das eine Schalldämmung? Man fragt sich, wie die Leute früher gelebt haben. Weil Sie brauchen nicht glauben, daß es früher weniger Lärm gegeben hat als heute. Wagner schreibt, daß er in ganz Paris keine Wohnung hat finden können, weil in jeder Straße ein Blechschmied gearbeitet hat, und Paris hatte meines Wissens damals schon über eine Million Einwohner, nicht wahr. Also ein Blechschmied – ich weiß nicht, wer es schon einmal gehört hat, das ist wohl das infernalischste an Lärm, was einem Musiker begegnen kann. Ein Mensch, der permanent mit einem Hammer auf ein Stück Metall haut! Die Leute haben ja

damals von Sonnenaufgang bis Sonnen-
untergang gearbeitet. Angeblich wenigstens. Dazu das Dröhnen der Kutschen auf
dem Kopfsteinpflaster, das Brüllen der
Marktschreier und die ständigen Schläge-
reien und Revolutionen, die ja in Frankreich vom Volk gemacht werden, vom ein-
fachen Volk, von den dreckigsten Proleten
auf der Straße, bekanntlich. In Paris wurde
außerdem schon Ende des 19. Jahrhunderts
eine U-Bahn gebaut, und Sie brauchen
nicht glauben, daß das früher wesentlich
leiser abgegangen ist als heute. Im übrigen
stehe ich Wagner skeptisch gegenüber, aber
das am Rande. –

So, und jetzt passen Sie auf! Jetzt machen
wir einen Test. Mein Baß ist ein ganz
normales Instrument. Baujahr 1910, circa,
Südtirol wahrscheinlich, 1.12 Korpushöhe,
bis zur Schnecke hinauf 1.92, Länge der
schwingenden Saite ein Meter zwölf. Kein
überragendes Instrument, aber sagen wir

oberer Durchschnitt, ich könnt heute acht-
einhalbtausend dafür verlangen. Gekauft
hab ich ihn für dreizwo. Ein Wahnsinn.
Gut. Ich spiele Ihnen jetzt einen Ton,
irgendwas, sagen wir tiefes F...

Er spielt leise.

...So. Das war jetzt pianissimo. Und jetzt
spiele ich piano...

Er spielt ein wenig lauter.

... Lassen Sie sich nicht stören durch das
Reiben. Das gehört so. Einen reinen Ton,
also nur Schwingung ohne das Reiben vom
Bogenstrich, das gibt's auf der ganzen Welt
nicht, nicht einmal bei Yehudi Menuhin.
So. Und jetzt passen Sie auf, jetzt spiel ich
zwischen mezzoforte und forte. Und wie
gesagt: voll schallisolierter Raum...

Er spielt noch ein wenig lauter.

...So. Und jetzt müssen wir kurz warten... Moment noch... gleich kommt's...

Von der Decke her ist ein Klopfen zu hören.

...Da! Hören Sie! Das ist die Frau Niemeyer von oben. Wenn die das geringste hört, dann klopft sie, dann weiß ich, daß ich die Grenze zum mezzoforte überschritten habe. Sonst eine nette Frau. Dabei klingt es hier, wenn man daneben steht, nicht übermäßig laut, eher diskret. Wenn ich jetzt zum Beispiel fortissimo spiele... Moment...

Er spielt jetzt so laut er kann und schreit, um den dröhnenden Baß zu übertönen.

... klingt nicht übermäßig laut, würde man sagen, aber das geht jetzt hinauf bis über die Frau Niemeyer und hinunter bis zum Hausmeister und hinüber bis ins Nachbarhaus, die rufen dann später an...

Ja. Und das ist es, was ich die Durchschlagskraft des Instrumentes nenne. Kommt von den tiefen Schwingungen. Eine Flöte meinetwegen oder Trompete klingt lauter – denkt man. Stimmt aber nicht. Keine Durchschlagskraft. Keine Tragweite. Kein body, wie der Amerikaner sagt: Ich hab body, beziehungsweise mein Instrument hat body. Und das ist das einzige, was mir daran gefällt. Sonst hat es nämlich nichts. Sonst ist es eine einzige Katastrophe.

Er legt das Vorspiel zu › Die Walküre‹ auf.

Vorspiel zu Walküre. Wie wenn der weiße Hai kommt. Kontrabaß und Cello unisono. Von den Noten die dastehen spielen wir vielleicht fünfzig Prozent. Das da...

Er singt die Baßfigur nach.

... dieses Hinaufwischen, das sind in Wirklichkeit Quintolen und Sextolen. Sechs einzelne Töne! In dieser rasenden Geschwindigkeit! Vollkommen unspielbar. Man wischt es halt hin. Ob das dem Wagner klar war, wissen wir nicht. Wahrscheinlich nicht. Auf jeden Fall war es ihm Wurscht. Er hat ja überhaupt das Orchester verachtet. Daher auch die Abdeckung in Bayreuth, angeblich aus Klanggründen. In Wirklichkeit aus Verachtung des Orchesters. Und hauptsächlich ist es ihm ja auf das Geräusch angekommen, Theatermusik eben, verstehen Sie, Klangkulisse, Gesamtkunstwerk und so weiter. Der einzelne Ton spielt da überhaupt keine Rolle mehr. Das Gleiche übrigens in der Sechsten von Beethoven, oder Rigoletto letzter Akt – wenn ein Gewitter aufzieht, dann schreiben sie in die Partitur hemmungslos Noten hinein, die kein Baß auf der ganzen Welt jemals spielen kann. Keiner. Uns wird überhaupt einiges zugemutet. Wir sind sowieso diejenigen, die sich am meisten anstrengen müssen. Ich bin nach einem Konzert vollständig durchgeschwitzt, ich kann kein Hemd zweimal anziehen. Ich verliere bei einer Oper durchschnittlich zwei Liter Flüssigkeit; bei einem Sinfoniekonzert immerhin noch einen Liter. Ich kenne Kollegen, die machen Waldlauf und Hanteltraining. Ich selber nicht. Aber mich wird es eines Tages mitten im Orchester so zusammenhauen, daß ich mich nicht mehr davon erhole. Weil Kontrabaß spielen ist eine reine Kraftsache, mit Musik hat das erst einmal nichts zu tun. Drum kann auch ein Kind nie im Leben Kontrabaß spielen. Ich selbst habe mit siebzehn angefangen. Jetzt bin ich fünfunddreißig. Freiwillig bin ich nicht dazugekommen. Eher wie die Jungfrau zum Kind, aus Zufall. Über Blockflöte, Geige, Posaune und Dixieland. Aber das ist lange her, und mittlerweile lehne ich Jazz ab. Übrigens kenne ich keinen Kollegen, der freiwillig zum Kontrabaß gekommen wäre. Und irgendwie leuchtet das ja auch ein. Das Instrument ist nicht gerade handlich. Ein Kontrabaß ist mehr, wie soll ich sagen, ein Hindernis als ein Instrument. Das können Sie nicht tragen, das müssen Sie schleppen, und wenn's hinfällt, zerreißt's ihn. Ins Auto geht er nur hinein, wenn Sie den rechten Vordersitz heraustun. Praktisch ist der Wagen dann voll. In der Wohnung müssen Sie ihm immer ausweichen. Er steht so ... so blöd herum, wissen Sie, aber nicht wie ein Klavier. Ein Klavier ist ja ein Möbel. Ein Klavier können Sie zumachen und stehenlassen. Ihn nicht. Er steht immer herum wie ... Ich hab einmal einen Onkel gehabt, der war ständig krank und hat sich ständig beklagt, daß keiner sich um ihn kümmert. So ist der Kontrabaß. Wenn Sie Gäste haben, spielt er sich sofort in den Vordergrund. Alles spricht bloß noch über ihn. Wenn Sie mit einer Frau allein sein wollen, steht er dabei und überwacht das Ganze. Werden Sie intim – er schaut zu. Sie haben immer das Gefühl, er macht sich lustig, er macht den Akt lächerlich. Und dieses Gefühl überträgt sich natürlich auf die Partnerin, und dann – Sie wissen selbst, die körperliche Liebe und die Lächerlichkeit, wie eng liegt das zusammen und wie schlecht verträgt es sich! Wie miserabel! Es gehört sich einfach nicht. Entschuldigen Sie...

Er stellt die Musik ab und trinkt.

... Ich weiß. Das gehört nicht hierher. Es geht Sie im Grunde auch nichts an. Vielleicht belastet Sie das bloß. Und Sie werden Ihre eigenen Probleme haben auf dem Gebiet. Aber ich darf mich aufregen. Und ich möchte auch das Recht haben *ein* Mal ein deutliches Wort sagen, damit man nicht glaubt, als Mitglied des Staatsorchesters hätte man solche Probleme nicht. Weil ich habe seit zwei Jahren keine Frau mehr gehabt und schuld ist er! Das letzte Mal war 1978, da habe ich ihn im Bad versteckt, aber es hat nichts geholfen, sein Geist schwebte über uns wie eine Fermate...

Wenn ich noch *ein* Mal eine Frau bekomme – es ist nicht wahrscheinlich, weil ich bin schon fünfunddreißig; aber es gibt welche, die schaun schlechter aus als ich, und ich bin immerhin Beamter, und ich kann mich noch verlieben! –

Wissen Sie... ich *habe* mich verliebt. Oder verschaut, ich weiß es nicht. Und sie weiß es auch noch nicht. Es ist die... wo ich vorhin gesagt habe... vom Ensemble an der Oper, diese junge Sängerin, Sarah heißt sie... – Es ist alles sehr unwahrscheinlich, aber wenn... wenn es einmal so weit kommen sollte, jemals, dann bestehe ich darauf, daß wir es bei ihr machen. Oder im Hotel. Oder außerhalb, auf dem Land, wenn es nicht regnet...

Wenn er eines nicht verträgt, dann ist es Regen, bei Regen geht er ein, beziehungsweise auf, es schwemmt ihn auf, das mag er überhaupt nicht. Genauso wie Kälte. Bei Kälte, da verzieht er sich. Dann können Sie ihn mindestens zwei Stunden temperieren vor dem Spielen. Früher, wo ich noch im Kammerorchester war, haben wir jeden zweiten Tag in der Provinz gespielt, in irgendwelchen Schlössern oder Kirchen, auf Winterfestspielen – Sie glauben ja nicht, was es alles gibt. Jedenfalls habe ich immer Stunden früher hinausfahren müssen als die andern, allein im VW, damit ich meinen Baß temperieren kann, in gräuslichen

Wirtshäusern; oder in der Sakristei am Heizofen; wie einen alten Kranken. Ja, das verbindet. Das schafft Liebe, kann ich Ihnen sagen. Einmal sind wir hängengeblieben, im Dezember 74, zwischen Ettal und Oberau, im Schneesturm. Zwei Stunden haben wir auf den Abschleppdienst gewartet. Und ich habe ihm meinen Mantel abgetreten. Ihn mit meinem eigenen Körper gewärmt. Beim Konzert war *er* dann temperiert, und in mir keimte bereits eine verheerende Grippe auf. Sie erlauben, daß ich trinke. –

Nein, geboren wird man wirklich nicht zum Kontrabaß. Der Weg dorthin führt über Umweg, Zufall und Enttäuschung. Ich darf sagen, daß bei uns im Staatsorchester von acht Kontrabassisten nicht einer ist, den das Leben nicht gebeutelt hätte und dem die Schläge, die es ihm ausgeteilt hat, nicht noch heute ins Gesicht geschrieben stünden. Ein typisches Kontrabassistenschicksal ist zum Beispiel meines: Dominanter Vater, Beamter, unmusisch; schwache Mutter, Flöte, musisch versponnen; ich als Kind liebe die Mutter abgöttisch; die Mutter liebt den Vater; der Vater liebt meine kleinere Schwester; mich liebte niemand – subjektiv jetzt. Aus Haß auf den Vater beschließe ich, nicht Beamter, sondern Künstler zu werden; aus Rache an der Mutter aber am größten, unhandlichsten, unsolistischsten Instrument; und um sie quasi tödlich zu kränken und zugleich dem Vater noch einen Fußtritt übers Grab hinweg zu versetzen, werde ich nun doch Beamter: Als Kontrabassist im Staatsorchester, drittes Pult. Als solcher vergewaltige ich täglich in der Gestalt des Kontrabasses, des größten der weiblichen Instrumente – formmäßig jetzt –, meine eigene Mutter, und dieser ewige inzestuöse symbolische Geschlechtsverkehr ist natürlich eine jedmalige moralische Katastrophe, und diese moralische Katastrophe steht jedem von uns Bassisten ins Gesicht geschrieben. Soviel zur psychoanalytischen Seite des Instruments. Bloß hilft diese Erkenntnis nicht viel, weil... die Psychoanalyse ist ja am Ende. Das wissen wir ja heute, daß die Psychoanalyse am Ende ist, und die Psychoanalyse selbst weiß es auch. Weil, erstens wirft die Psychoanalyse viel mehr Fragen auf, als sie selber lösen kann, wie eine Hydra – bildlich jetzt –, die sich selbst den Kopf abschlägt, und das ist der innere nie zu lösende Widerspruch der Psychoanalyse, an dem sie selbst erstickt, und zweitens ist die Psychoanalyse heute ja Allgemeingut. Das weiß ja heute jeder. Im Orchester sind ja von hundertsechsundzwanzig Mitgliedern über die Hälfte in der Psychoanalyse. Da können Sie sich vorstellen, daß heute das, was vielleicht vor hundert Jahren noch eine sensationelle wissenschaftliche Entdeckung gewesen wäre oder hätte sein können, heutzutage dermaßen normal ist, daß sich darüber kein Mensch mehr aufregt. Oder wundert Sie das, daß heute zehn Prozent depressiv sind? Wundert Sie das? Mich wundert das nicht. Sehen Sie. Und dazu brauche ich keine Psychoanalyse. Viel wichtiger wäre es – wo wir schon einmal dabei sind –, wenn wir vor hundert bis hundertfünfzig Jahren eine Psychoanalyse gehabt hätten. Dann wäre uns beispielsweise von Wagner einiges erspart geblieben. Der Mann war doch hochneurotisch. Ein Werk wie Tristan beispielsweise, das größte, was er zustande gebracht hat, wie ist denn das entstanden? Doch nur deshalb, weil er es mit der Frau von einem Freund getrieben hat, der ihn jahrelang ausgehalten hat. Jahrelang. Und dieser Betrug, dieser, wie soll ich sagen, diese schäbige Verhaltensweise hat ihn selber dermaßen vor sich selbst gewurmt, daß er daraus gleich die angeblich größte Liebestragödie

aller Zeiten machen mußte. Totale Ver-
drängung durch totale Sublimierung.
›Höchste Lust‹ et cetera, kennen Sie. Ehe-
bruch war ja damals noch eine außergewöhnliche Sache. Und jetzt stellen Sie sich
vor, Wagner wäre damit zum Analytiker
gegangen! Ja – eins ist klar: Den Tristan
hätte es dann nicht gegeben. Soviel steht
fest, denn dazu hätte die Neurose dann
nicht mehr ausgereicht. – Er hat ja übrigens
auch seine Frau geschlagen, der Wagner.
Die erste natürlich. Die zweite nicht.
Die bestimmt nicht. Aber die erste hat
er geschlagen. Überhaupt ein unan-
genehmer Mensch. Scheißfreundlich hat
er sein können, wahnsinnig scharmant.
Aber unangenehm. Ich glaube, er
hat sich selbst nicht leiden können. Hat
ja auch dauernd Gesichtsausschläge
gekriegt vor lauter... Ekelhaftig-
keit. Naja. Aber die Frauen haben ihn
mögen, reihenweise. Starke Anziehung

auf Frauen ausgeübt, der Mann. Unbegreiflich...

Er überlegt.

... Die Frau spielt ja in der Musik eine untergeordnete Rolle. In der schöpferischen Musikgestaltung, meine ich, in der Komposition. Spielt die Frau eine untergeordnete Rolle. Oder kennen Sie *eine* namhafte Komponistin? Eine einzige? Sehen Sie! Haben Sie darüber schon einmal nachgedacht? Darüber sollten Sie einmal nachdenken. Über das Weibliche in der Musik schlechthin, vielleicht. Jetzt ist ja der Kontrabaß ein weibliches Instrument. Trotz seinem grammatikalischen Geschlecht ein weibliches Instrument – aber ein todernstes. Wie ja auch der Tod – jetzt assoziativer Gefühlswert – weiblich ist in seiner bergenden Grausamkeit oder – wie man will – seiner unausweichlichen Schoßfunktion; zum andern auch als das Komplementäre zum Lebensprinzip, Fruchtbarkeit, Muttererde und so weiter, hab ich recht? Und in dieser Funktion – jetzt wieder musikalisch zu reden – bekämpft der Kontrabaß als Todessymbol das absolute Nichts, in das Musik und Leben gleichermaßen zu versinken drohen. Wir, die Kontrabassisten, sind so gesehen die Zerberusse an den Katakomben des Nichts, oder andersherum der Sisyphos, der die Sinneslast der ganzen Musik auf den Schultern den Berg hinaufwälzt, bitte stellen Sie sich das bildlich vor!, verachtet, angespien und mit zerhackter Leber – nein, das war der andere... Prometheus war das – apropos: Letzten Sommer waren wir mit der gesamten Staatsoper in Orange, Südfrankreich, Festspiele. Extra Vorstellung von Siegfried, bitte sich das vorzustellen: Im Amphitheater von Orange, einem annähernd zweitausend Jahre alten Gebäude, klassisches

Bauwerk aus einer der zivilisiertesten Epochen der Menschheit, unter den Augen des Kaisers Augustus, tobt das germanische Göttervolk, schnaubt der Lindwurm, flegelt Siegfried über die Bühne, grob, fett, »boche«, wie die Franzosen sagen... – Wir bekamen zwölfhundert Mark pro Mann, aber mir war diese ganze Vorstellung so peinlich, daß ich höchstens ein Fünftel der Noten spielte. Und hinterher – wissen Sie, was wir hinterher gemacht haben? Wir alle vom Orchester? Besoffen haben wir uns, wie die Proleten haben wir uns aufgeführt, gegrölt bis drei Uhr nachts, voll boche, die Polizei hat kommen müssen, wir waren so verzweifelt. Leider, die Sänger haben sich damals woanders besoffen, sie sitzen nie zusammen mit uns vom Orchester. Sarah – Sie wissen schon, diese junge Sängerin – ist auch bei denen gesessen. Sie hat Waldvögelein gesungen. Die Sänger haben auch in einem andern Hotel gewohnt. Sonst wären wir uns vielleicht damals begegnet...

Ein Bekannter von mir hat einmal was gehabt mit einer Sängerin, eineinhalb Jahre lang, aber er war Cellist. Ein Cello ist ja nicht so sperrig wie ein Baß. Das stellt sich nicht so dermaßen mächtig zwischen zwei Menschen, die sich lieben. Oder lieben wollen. Da gibts auch jede Menge Solostellen für Cello – Prestige jetzt –, Tschaikowski Klavierkonzert, Schumann Vierte Sinfonie, Don Carlos und so weiter. Und trotzdem, ich sage Ihnen, mein Bekannter ist völlig zermürbt worden von seiner Sängerin. Er hat Klavier lernen müssen, damit er sie begleiten kann. Sie verlangte es einfach von ihm, und aus lauter Liebe – jedenfalls war der Mann nach kürzester Zeit der Korrepetitor der Frau, die er liebte. Ein miserabler übrigens. Wenn sie zusammen gespielt haben, war sie ihm turmhoch überlegen. Sie erniedrigte ihn förmlich, das ist die Kehrseite des Monds der Liebe. Dabei war er, was das Cello anlangt, der bessere Virtuose als sie mit ihrem Mezzosopran, weitaus besser, kein Vergleich. Aber er mußte sie ja unbedingt begleiten, er wollte ja unbedingt mit ihr spielen. Und für Cello und Sopran gibt's nicht viel. Sehr wenig. Fast so wenig wie für Sopran und Kontrabaß...

Wissen Sie, ich bin sehr oft einsam. Sitze meistens allein bei mir zuhause, wenn ich dienstfrei habe, höre dann ein paar Platten, übe gelegentlich, Spaß macht es mir keinen, es ist immer dasselbe. Heute abend haben wir Festspielpremiere von Rheingold; mit Carlo Maria Giulini als Gastdirigent und dem Ministerpräsidenten in der ersten Reihe; das Feinste vom Feinen, Karten kosten bis dreihundertfünfzig Mark, ein Wahnsinn. Aber mir ist das Wurscht. Ich üb' auch nicht. Wir sind zu acht bei Rheingold, da ist es eh Wurscht, was der einzelne spielt. Wenn der Stimmführer einigermaßen spielt, schwingt sich der Rest mit ein... Sarah singt auch mit. Wellgunde. Gleich am Anfang. Eine große Partie für sie, es könnte ihr Durchbruch werden. Freilich ein Jammer, daß man seinen Durchbruch mit Wagner haben muß. Aber man kann es sich nicht aussuchen. Dort nicht und hier nicht. – Normalerweise haben wir von zehn bis eins Probe und dann abends von sieben bis zehn Vorstellung. Den Rest der Zeit sitz ich zu Hause, hier in meinem Akustikzimmer. Ich trinke einige Bier wegen dem Feuchtigkeitsverlust. Und manchmal setz ich ihn dann in den Korbstuhl da drüben, lehne ihn so hinein, den Bogen leg ich ihm daneben, und ich setz mich hierher in den Lehnsessel. Und dann schau ich ihn an. Und dann denke ich mir: ein grauenvolles Instrument! Bitte, schauen Sie sich ihn an! Schauen Sie ihn sich einmal an. Er sieht aus wie ein fettes altes Weib. Die Hüfte viel zu tief, die Taille total verunglückt, zu hoch hinauf ausgeschnitten und nicht eng genug; und dann diese schmale hängende rachitische Schulterpartie – zum Wahnsinnigwerden. Das kommt daher, daß der Kontrabaß ein Zwitter ist, entwicklungsgeschichtlich. Unten wie eine große Geige, oben wie eine große Gambe. Der Kontrabaß ist das scheußlichste, plumpeste, uneleganteste Instrument, das je erfunden wurde. Ein Waldschrat von Instrument. Manchmal möchte ich ihn am liebsten zerschmeißen. Zersägen. Zerhacken. Zerkleinern und zermahlen und zerstäuben und in einem Holzvergaserwagen ... verfahren! – Nein, daß ich ihn liebe, kann ich wahrhaft nicht sagen. Er ist auch ekelhaft zum Spielen. Für drei Halbtöne brauchen Sie die ganze Handspanne. Für drei Halbtöne! Zum Beispiel so ...

Er spielt drei Halbtöne.

... Und wenn ich auf einer Saite einmal von unten nach oben spiel...

Er tut es.

... dann darf ich elfmal die Lage wechseln. Ein reiner Kraftsport ist das. Jede Saite müssen Sie drücken wie ein Wahnsinniger, schauen Sie meine Finger an. Da! Hornhaut auf den Fingerkuppen, schauen Sie, und Rillen, ganz hart. Mit diesen Fingern spüre ich nichts mehr. Ich habe mir die Finger verbrannt, letztens, ich habe nichts gespürt, ich hab es erst gemerkt am Gestank von meiner eigenen Hornhaut. Selbstverstümmelung. Kein Schmied hat solche Fingerkuppen. Dabei sind meine Hände eher zierlich. Gar nicht gebaut fürs Instrument. Von Haus aus war ich ja auch Posaunist. Ich habe auch anfangs nicht viel Kraft gehabt im rechten Arm, was man haben müßte für den Bogen, weil sonst kriegen Sie keinen Ton heraus aus dem Dreckskasten, einen schönen schon gar nicht. Das heißt, einen schönen Ton kriegen Sie überhaupt nicht heraus, weil ein schöner Ton ist da nicht drin. Das... das sind doch keine Töne, das sind doch... – ich möcht jetzt nicht ordinär werden, aber ich könnte Ihnen sagen, was das ist... das unschönste aus dem Gebiet der Geräusche! Niemand kann auf einem Kontrabaß schön spielen, wenn das Wort einen Sinn haben soll. Niemand. Auch die größten Solisten nicht, das hängt mit der Physik zusammen, nicht mit dem Können, weil ein Kontrabaß hat nicht diese Obertöne, er hat sie einfach nicht, und darum klingt er immer gräuslich, immer, und darum ist das solistische Spielen auf dem Kontrabaß ein Riesenblödsinn, und auch wenn seit hundertfünfzig Jahren die Technik immer raffinierter wird, und wenn's Konzerte gibt für Kontrabaß und Solosonaten und Suiten, und wenn demnächst vielleicht noch ein Wundermann daherkommt und spielt die Chaconne von Bach auf dem Kontrabaß oder ein Capriccio von Paganini – es ist und bleibt gräuslich, weil der Ton gräuslich ist und bleibt. – So, und jetzt spiel ich Ihnen *das* Standardwerk vor, das Feinste was es gibt für Kontrabaß, gewissermaßen das Krönungskonzert für Kontrabaß, von Karl Ditters von Dittersdorf, jetzt passen's auf...

Er legt den ersten Satz des E-Dur-Konzertes von Dittersdorf auf.

... So. Das wär's. Dittersdorf, E-Dur-Konzert für Kontrabaß und Orchester. Eigentlich hat er Ditters geheißen. Karl Ditters. Lebte von 1739 bis 1799. Nebenher war er Forstmeister. Und jetzt sagen Sie mir ehrlich, ob das schön war? Wollen Sie's noch einmal hören? Jetzt nicht kompositorisch, sondern rein klanglich! Die Kadenz? Wollen'S die Kadenz noch einmal hören? Die Kadenz ist doch zum Totlachen! Das Ganze klingt doch zum Weinen! Dabei ist das ein erster Solist gewesen, ich möcht jetzt den Namen nicht nennen, weil er kann wirklich nichts dafür. Und auch der Dittersdorf – mein Gott, damals haben die Leute so was schreiben müssen, Befehl von oben. Er hat ja wahnsinnig viel geschrieben, Mozart ist ein Dreck dagegen, über hundert Sinfonien, dreißig Opern, einen Haufen Klaviersonaten und andres Kleinzeug und fünfunddreißig Solistenkonzerte, darunter das für Kontrabaß. Insgesamt gibt's in der Literatur über fünfzig Konzerte für Kontrabaß und Orchester, alle von minder bekannten Komponisten. Oder kennen Sie Johann Sperger? Oder Domenico Dragonetti? Oder Bottesini? Oder Simandl oder Kussewitzki oder Hotl oder Vanhal oder Otto Geier oder Hoffmeister oder Othmar Klose? Kennen Sie einen davon? Das sind die Kontrabaßgrößen. Im Grunde alles Leute wie ich. Kontrabassisten, die aus lauter Verzweiflung zum Komponieren angefangen haben. Und entsprechend sind die Konzerte. Weil ein anständiger Komponist schreibt nicht für Kontrabaß, dafür hat er zuviel Geschmack. Und wenn er für Kontrabaß schreibt, dann aus Witz. Ein kleines Menuett von Mozart gibt's, Köchel 344 – zum Totlachen! Oder von Saint-Saëns im Maskenball der Tiere, die Nummer fünf: »Der Elefant«, für solistischen Kontrabaß mit Klavier, allegretto pomposo, dauert eineinhalb Minuten – zum Totlachen! Oder in der ›Salomé‹ von Richard Strauss, die fünfsätzige Kontrabaßpassage, wo Salomé in die Zisterne schaut: »Wie schwarz es da drunten ist! Es muß schrecklich sein, in so einer schwarzen Höhle zu leben. Es ist wie eine Gruft…« Fünfstimmige Kontrabaßpassage. Grauenvoller Effekt. Dem Zuhörer stehen die Haare zu Berge. Dem Spieler auch. Zum Totfürchten! –

Mehr Kammermusik müßte man machen. Das tät vielleicht sogar Spaß machen. Aber wer nimmt denn mich mit meinem Kontrabaß in ein Quintett auf? Lohnt sich ja nicht. Wenn sie einen brauchen, dann mietens ihn dazu. Genauso beim Septett oder Oktett. Aber nicht mich. Zwei, drei Bassisten gibt's in Deutschland, die spielen alles. Der eine, weil er seine eigne Konzertagentur hat, der andre, weil er ein Berliner Philharmoniker ist, und der dritte hat eine Professur in Wien. Dagegen kommt unsereins nicht auf. Dabei gäb's ein so ein schönes Quintett von Dvořák. Oder Janáček. Oder Beethoven, Oktett. Oder vielleicht sogar Schubert, Forellenquintett. Wissen Sie, das wär das Höchste – jetzt musikalisch karrieremäßig. Das Traumstück für einen Kontrabassisten, Schubert... Aber da ist's weit hin, weit. Ich bin ja bloß Tuttist. Das heißt, ich sitz am dritten Pult. Am ersten Pult sitzt unser Solist, neben ihm der stellvertretende Solist; am zweiten Pult der Vorspieler und der stellvertretende Vorspieler; und dahinter kommen die Tuttisten. Mit der Qualität hat das weniger zu tun, es sind eben Planstellen. Weil ein Orchester, müssen Sie sich vorstellen, ist und muß sein ein streng hierarchisch gegliedertes Gebilde und als solches ein Abbild der menschlichen Gesellschaft. Nicht einer bestimmten menschlichen Gesellschaft, sondern der menschlichen Gesellschaft schlechthin:

Über allem schwebt der GMD, der Generalmusikdirektor, dann kommt die erste Geige, dann die erste zweite Geige, dann die zweite erste Geige, dann die übrigen ersten und zweiten Geigen, Bratschen, Celli, Flöten, Oboen, Klarinetten, Fagotte, das Blech – und ganz zum Schluß der

Kontrabaß. Nach uns kommt bloß noch die Pauke, aber nur theoretisch, weil die Pauke ist allein und sitzt erhöht, daß sie jeder sehen kann. Außerdem hat sie noch mehr Volumen. Wenn die Pauke einmal hinlangt, das hört sich bis in die letzte Reihe, und jeder sagt, aha, die Pauke. Bei mir sagt kein Mensch, aha, der Kontrabaß, weil ich geh ja unter in der Masse. Darum steht die Pauke praktisch über dem Kontrabaß. Obwohl die Pauke streng genommen gar kein Instrument ist mit ihren vier Tönen. Aber es gibt Paukensoli, zum Beispiel im 5. Klavierkonzert von Beethoven, letzter Satz am Ende. Da schaut alles, was nicht auf den Pianisten schaut, auf die Pauke, und das sind in einem größeren Haus gut und gerne zwölf- bis fünfzehnhundert Menschen. Soviel schauen auf mich in einer ganzen Saison nicht.

Nicht, daß Sie denken, ich bin neidisch. Neid ist mir ein fremdes Gefühl, denn ich weiß, was ich wert bin. Aber ich habe einen Sinn für Gerechtigkeit, und einiges im Musikbetrieb ist absolut ungerecht. Der Solist wird vom Beifall überschüttet, die Zuschauer sehen es ja heute als Strafe gegen sich selber an, wenn sie nicht mehr klatschen dürfen; Ovationen werden dem Dirigenten entgegengebracht: der Dirigent drückt dem Kapellmeister mindestens zweimal die Hand; manchmal erhebt sich das gesamte Orchester von den Sitzplätzen... – Als Kontrabassist kann man nicht einmal ordentlich aufstehen. Als Kontrabassist – entschuldigen Sie den Ausdruck – sind Sie in jeder Hinsicht der letzte Dreck!

Und darum sage ich, das Orchester ist ein Abbild der menschlichen Gesellschaft. Denn hier wie dort werden diejenigen, die ohnehin schon die Drecksarbeit machen, darüberhinaus noch von den anderen verachtet. Es ist sogar noch schlimmer als in der Gesellschaft, das Orchester, weil in der Gesellschaft, da hätte ich – theoretisch jetzt – die Hoffnung, daß ich dereinst aufsteige durch die Hierarchie hinauf nach oben und eines Tages von der Spitze der Pyramide herabschaue auf das Gewürm unter mir... Die Hoffnung, sage ich, hätte ich...

Leiser.

...Aber im Orchester, da ist keine Hoffnung. Da herrscht die grausame Hierarchie des Könnens, die fürchterliche Hierarchie der einmal getroffenen Entscheidung, die entsetzliche Hierarchie der Begabung, die unumstößliche, naturgesetzte, physikalische Hierarchie der Schwingungen und Töne, gehen Sie nie in ein Orchester!...

Er lacht bitter.

...Freilich hat es Umwälzungen gegeben, sogenannte. Die letzte war vor circa hundertfünfzig Jahren, in der Sitzordnung. Damals hat Weber die Blechbläser hinter die Streicher gesetzt, es war eine echte Revolution. Für die Kontrabässe ist nichts herausgekommen, wir sitzen so und so hinten, damals wie heute. Seit dem Ende des Generalbaßzeitalters um 1750 sitzen wir hinten. Und so wird das bleiben. Und ich beklage mich nicht. Ich bin Realist und ich weiß mich zu fügen. Ich weiß mich zu fügen. Ich habe es gelernt, weiß Gott!...

Er seufzt und trinkt und schöpft Kraft.

...Und ich stehe dazu! Ich bin als Orchestermusiker ein konservativer Mensch, befürworte Werte wie Ordnung, Disziplin, Hierarchie und das Führerprinzip. – Bitte das jetzt nicht falsch zu verstehen! Wir Deutsche denken bei Führer gleich immer an Adolf Hitler. Dabei war Hitler höchstens Wagnerianer, und ich stehe Wagner, wie Sie wissen, ziemlich kalt gegenüber. Wagner als Musiker – jetzt vom Handwerk her gesehen – tät ich sagen: Unterprima. Eine Partitur von Wagner strotzt von Unmöglichkeiten und Fehlern. Der Mann hat ja auch selbst kein einziges Instrument gespielt außer schlecht Klavier. Der professionelle Musiker fühlt sich da bei Mendelssohn, geschweige denn Schubert, tausendmal besser aufgehoben. Mendelssohn war übrigens, wie der Name schon sagt, Jude. Ja. Hitler seinerseits hat von Musik außer Wagner so gut wie nichts verstanden und wollte selbst auch nie Musiker werden, sondern Architekt, Maler, Städteplaner und so weiter. Soviel Selbstkritik hat er doch noch gehabt, trotz seiner ganzen... Zügellosigkeit. Die Musiker waren ja für den Nationalsozialismus sowieso nicht so empfänglich. Bitte, trotz Furtwängler und

Richard Strauss und so weiter, ich weiß, problematische Fälle, aber diesen Leuten wurde mehr angehängt, weil Nazis im positiven Sinne waren sie nicht, niemals. Nazitum und Musik – das können'S nachlesen bei Furtwängler –, das geht einfach nicht zusammen. Niemals.

Natürlich wurde damals auch Musik gemacht. Das ist doch klar! Die Musik hört doch nicht einfach auf! Unser Karl Böhm zum Beispiel, der stand doch damals in der Blüte seiner Jahre. Oder Karajan. Den haben doch sogar die Franzosen im besetzten Paris umjubelt; auf der anderen Seite haben auch die Gefangenen im KZ ihre eigenen Orchester gehabt, soviel ich weiß. Genauso wie dann später unsere Kriegsgefangenen in ihren Kriegsgefangenenlagern. Denn Musik ist etwas Menschliches. Jenseits von Politik und Zeitgeschichte. Etwas allgemein Menschliches, möchte ich sagen, ein der menschlichen Seele und dem menschlichen Geist eingeborenes konstitutives Element. Und immer wird es Musik geben, und überall in Ost und West, in Südafrika genauso wie in Skandinavien, in Brasilien genauso wie im Archipel Gulag. Weil Musik ist eben metaphysisch. Verstehen Sie, meta-physisch, also hinter oder jenseits der rein physischen Existenz, jenseits von Zeit und Geschichte und Politik und arm und reich und Leben und Tod. Musik ist – ewig. Goethe sagt: »Die Musik steht so hoch, daß kein Verstand ihr beikommen kann, und es geht von ihr eine Wirkung aus, die alles beherrscht und von der niemand imstande ist, sich Rechenschaft zu geben.«

Dem kann ich nur zustimmen.

Er hat die letzten Sätze sehr feierlich gesprochen, steht nun auf, geht einige Male erregt im Zimmer auf und ab, denkt nach, kommt zurück.

... Ich würde sogar noch weiter gehen als Goethe. Ich würde sagen, daß ich, je älter ich werde und je tiefer ich eindringe in das eigentliche Wesen der Musik, desto klarer wird mir, daß die Musik ein großes Geheimnis ist, ein Mysterium, und daß man, je mehr man von ihr weiß, desto weniger ist man in der Lage, noch überhaupt etwas Gültiges zu sagen. Goethe war ja, bei aller Hochschätzung, die er auch heute noch – und zu Recht – genießt, strenggenommen kein musikalischer Mensch. Er war Lyriker in erster Linie und als solcher, wenn man will, Rhythmiker oder Sprachmelodiker. Aber alles andere als Musiker. Anders wären ja auch seine mitunter grotesken Fehlurteile über Musiker gar nicht zu erklären. – Aber vom Mystischen hat er eine Menge verstanden. Ich weiß nicht, ob Sie wissen, daß Goethe Pantheist war? Wahrscheinlich. Und nun steht ja der Pantheismus in enger Beziehung zur Mystik, er ist gewis-

sermaßen ein Ausfluß der mystischen Welt-
anschauung, wie sie auch schon im Taois-
mus und in der indischen Mystik und so
weiter vorkommt, sich durchzieht durch
das ganze Mittelalter und die Renaissance
und so weiter und dann unter anderem in
der Freimaurerbewegung im 18.Jahrhun-
dert wieder auftaucht. Und jetzt war ja
Mozart Freimaurer, das wird Ihnen geläu-
fig sein. Mozart ist schon in relativ jungen
Jahren zur Freimaurerbewegung gestoßen,
als Musiker, nicht wahr, und das ist meines
Erachtens – und ihm selber muß das auch
klar gewesen sein – ein Beweis für meine
These, daß ihm, Mozart, die Musik letzt-
lich auch ein Mysterium gewesen ist und er
weltanschaulich zu der Zeit einfach nicht
mehr weitergewußt hat. – Ich weiß jetzt
nicht, ob Ihnen das zu kompliziert wird,
weil Ihnen wahrscheinlich die Vorausset-
zungen fehlen. Aber ich selbst habe mich
jahrelang mit der Materie beschäftigt, und

ich sage Ihnen das eine: Mozart wird – vor diesem Hintergrund – weit überschätzt. Als Musiker wird Mozart *weit* überschätzt. Nein, wirklich, – ich weiß, daß das heute wenig populär klingt, aber ich darf sagen als einer, der sich jahrelang mit der Materie beschäftigt hat und von Berufs wegen studiert hat – daß Mozart, verglichen mit Hunderten seiner Zeitgenossen, die heute völlig zu Unrecht vergessen sind, absolut auch nur mit Wasser gekocht hat, und gerade dadurch, daß er schon als Kind so früh begabt war und schon als Achtjähriger das Komponieren angefangen hat, war der Mann natürlich in kürzester Zeit total am Ende. Und die Hauptschuld daran trägt der Vater, das ist ja der Skandal. Ich würde doch meinen Sohn, wenn ich einen hätte, und er könnte zehnmal so begabt sein wie Mozart, weil dazu gehört nichts, daß ein Kind komponiert; jedes Kind komponiert, wenn Sie es dazu abrichten wie einen Affen, das ist kein Kunststück, aber eine Schinderei ist es, eine Kinderquälerei, und das ist verboten, mit Recht heute, denn das Kind hat einen Anspruch auf Freiheit. Und das ist das eine. Und das andere ist, daß es ja zu der Zeit, als Mozart komponiert hat, praktisch noch nichts gegeben hat. Beethoven, Schubert, Schumann, Weber, Chopin, Wagner, Strauss, Leoncavallo, Brahms, Verdi, Tschaikowskij, Bartók, Strawinsky... – soviel kann ich gar nicht aufzählen, wie es damals... fünfundneunzig Prozent von der Musik, die unsereiner heute einfach intus hat, haben muß, geschweige denn ich als Professioneller, die hat es ja damals noch gar nicht gegeben! Die ist ja erst *nach* Mozart entstanden! Davon hat ja Mozart überhaupt keine Ahnung gehabt! – Das einzige, ja?, was es damals an Namhaftem gegeben hat, das einzige – das war Bach, und der war total vergessen, weil der war Protestant, den haben ja erst wir wiederentdecken müssen. Und deshalb war die Lage für Mozart damals ja ganz unvergleichlich einfacher. Unbelastet. Da konnte einer hergehen und unbekümmert, frisch daherspielen und komponieren – praktisch was er wollte. Und die Leute waren ja damals auch viel dankbarer. In der Zeit wär ich ein weltbekannter Virtuose gewesen. Aber das hat Mozart niemals zugegeben. Im Gegensatz zu Goethe, der da doch der ehrlichere war. Goethe hat immer gesagt, daß er Glück gehabt hat, daß die Literatur zu seiner Zeit sozusagen ein unbeschriebenes Blatt war. Glück hat er gehabt. Ein Saumassel auf gut deutsch. Und Mozart hat das nie zugegeben. Und das mache ich ihm zum Vorwurf. Da bin ich so frei und nehme kein Blatt vor den Mund, weil so etwas ärgert mich. Und – das nur noch am Rande –: was Mozart für den Kontrabaß geschrieben hat – das können Sie vergessen; bis auf den letzten Akt von Don Giovanni vergessen; Fehlanzeige. Soviel zu Mozart. Und jetzt muß ich noch einen Schluck trinken...

Er steht auf, stolpert im Weggehen über den Kontrabaß und brüllt.

...Ja Kruzifix paß doch auf! Immer im Weg um, der Depp! – Können Sie mir sagen, wieso ein Mann von Mitte Dreißig, nämlich ich, mit einem Instrument zusammenlebt, das ihn permanent nur behindert?! Menschlich, gesellschaftlich, verkehrstechnisch, sexuell und musikalisch *nur* behindert?! Ihm ein Kainsmal aufdrückt?! Können Sie mir das erklären!? – Entschuldigen Sie, daß ich schrei. Aber ich kann schreien hier, soviel ich will. Es hört keiner, wegen der Akustikplatten. Kein Mensch hört mich... Aber ich erschlag ihn noch, eines Tages erschlage ich ihn...

Er geht davon, um sich ein neues Bier zu holen.

Mozart, Ouvertüre zu Figaro.

Ende der Musik. Er kommt wieder. Während er sich das Bier einschenkt.

... Ein Wort noch zur Erotik: Diese kleine Sängerin – wunderbar. Sie ist ziemlich klein und hat ganz schwarze Augen. Vielleicht ist sie Jüdin. Mir wäre das Wurscht. Auf jeden Fall heißt sie Sarah. Das wäre eine Frau für mich. Wissen Sie, ich könnte mich niemals in eine Cellistin verlieben, auch in eine Bratsche nicht. Obwohl – jetzt vom Instrument her – sich der Kontrabaß obertonmäßig mit der Bratsche hervorragend paart – Sinfonia concertante von Dittersdorf. Posaune geht auch. Oder Cello. Wir tun sowieso meistens mit dem Cello mitoktavieren. Aber menschlich geht das nicht. Nicht für mich. Ich brauche als Kontrabassist eine Frau, die das totale Gegenteil von dem darstellt, was ich bin: Leichtigkeit, Musikalität, Schönheit, Glück, Ruhm, und einen Busen muß sie haben...

Ich war in der Musikbibliothek und habe nachgeschaut, ob's etwas gäbe für uns. Zwei ganze Arien für Sopran und obligaten Kontrabaß. Zwei Arien! Natürlich wieder von diesem völlig unbekannten Johann Sperger, 1812 gestorben. Dazu noch ein Nonett von Bach, Kantate 152, aber ein Nonett ist eh fast ein Orchester. Also bleiben zwei Stücke, die wir allein miteinander hätten. Das ist natürlich keine Basis. Sie erlauben, daß ich trinke.

Was braucht eine Sopranistin denn? Machen wir uns doch nichts vor! Eine Sopranistin braucht einen Korrepetitor. Einen anständigen Pianisten. Besser einen Dirigenten. Ein Regisseur tut's auch noch. Sogar ein technischer Direktor ist wichtiger für sie als ein Kontrabaß. – Ich glaube, sie hat was gehabt mit unserm technischen Direktor. Dabei ist dieser Mann ein reiner Bürokrat. Ein völlig unmusikalischer Funktionärstyp. Ein fetter, geiler alter Bock. Außerdem schwul. – Vielleicht hat sie doch nichts gehabt mit ihm. Ehrlich gesagt, ich weiß es nicht. Es wäre mir auch ausgesprochen Wurscht. Auf der anderen Seite tät's mir leid. Weil mit einer Frau, die mit unserem technischen Direktor schläft, könnte ich nicht ins Bett gehen. Ich könnte ihr das nie verzeihen. Aber soweit sind wir ja noch gar nicht. Soweit ist die Frage, ob wir überhaupt je kommen, weil sie kennt mich ja noch gar nicht. Ich glaub nicht, daß ich ihr schon einmal aufgefallen bin. Musikalisch bestimmt nicht, wie denn! Höchstens in der Kantine. Ich seh nicht so schlecht aus, wie ich spiele. Aber sie ist selten in der Kantine. Sie wird oft eingeladen. Von älteren Sängern. Von Gaststars. In teure Fischlokale. Einmal hab ich das beobachtet. Die Seezunge kostet dort zweiundfünfzig Mark. Ich finde so etwas ekelhaft. Ich finde es ekelhaft, wenn ein junges Mädchen mit einem fünfzigjährigen Tenor, ich bin so frei – der Mann kriegt sechsundreißigtausend für zwei Abende! Wissen Sie, was ich verdiene? Ich verdiene einsacht netto. Wenn wir Plattenaufnahmen haben, oder ich springe woanders ein, dann verdien ich eventuell etwas dazu. Aber normal verdien ich einsacht netto. Das verdient heute ein unterer Büroangestellter oder ein Student im Nebenverdienst. Und was haben die gelernt? Nichts haben sie gelernt. Ich war vier Jahre lang auf der Musikhochschule; ich habe bei Professor Krautschnick Komposition gelernt und bei Professor Riederer Harmonielehre; ich hab vormittags drei Stunden Probe und abends vier Stunden Aufführung, und wenn ich frei hab, dann hab ich Bereitschaft, und vor zwölf komm ich nicht ins Bett, und zwischendrein sollt ich noch üben, Kruzifix nocheinmal, wenn ich nicht so begabt wäre, daß ich alles vom Blatt runterreiß, ich müßt vierzehn Stunden am Tag hart arbeiten! –

Aber ich könnte in ein Fischlokal gehen, wenn ich wollte! Und ich würde zweiundfünfzig Mark hinlegen für eine Seezunge, wenn es sein müßte. Und ich würde nicht mit der Wimper zucken, da kennen Sie mich schlecht. Aber ich finde es ekelhaft! Außerdem sind diese Herren durch die Bank verheiratet. – Bitte, wenn sie zu mir kommen würde – aber sie kennt mich ja nicht – und würde mich fragen: »Laß uns, Geliebter, eine Seezunge essen gehen!«, dann würde ich sagen: »Natürlich, mein Herz, warum nicht; essen wir eine Seezunge, Liebste, und wenn sie achtzig Mark kostet, das ist mir Wurscht.« Denn ich bin Kavalier zu der Dame, die ich liebe, vom

Scheitel bis zur Sohle. Aber es ist ekelhaft, wenn diese Dame mit anderen Herren ausgeht. Ich finde das ekelhaft! Die Dame, die *ich* liebe! Geht nicht mit andern Herren in ein Fischlokal! Nacht für Nacht! ...Zwar, sie kennt mich nicht, aber... aber das ist auch die *einzige* Entschuldigung, die sie hat! Wenn sie mich kennt... wenn sie mich dann kennenlernt... es ist nicht wahrscheinlich, aber... wenn wir uns dann kennen, dann – kann sie was erleben, das kann ich Ihnen jetzt schon sagen, das gebe ich Ihnen schriftlich, weil... weil...

Er fängt plötzlich zu brüllen an.

... ich lasse es mir nicht gefallen, daß meine Frau, bloß weil sie Sopranistin ist und eines Tages Dorabella singt oder Aida oder Butterfly, und ich bin bloß ein Kontrabassist! – daß sie... deswegen... in Fischlokale geht... das lasse ich nicht...

verzeihen Sie... Entschuldigung... ich muß mich etwas... mäßigen... glaube ich... mäßigen... – glauben Sie, daß ich... für eine Frau... überhaupt zumutbar bin...?

Er ist zum Plattenspieler gegangen und hat etwas aufgelegt.

... Arie der Dorabella ... aus dem zweiten Akt... »Così fan tutte«...

Während die Musik beginnt, fängt er leise zu schluchzen an.

Wissen Sie, wenn man sie singen hört, dann traut man ihr das nicht zu. Zwar, sie bekommt bis jetzt nur kleinere Partien – zweites Blumenmädchen Parsifal, Aida Tempelsängerin, Base aus der Butterfly und so – aber wenn sie singt, und wenn ich höre, wie sie singt, ich sage Ihnen, ehrlich, da drückt es mir das Herz ab, ich kann nicht anders sagen. Und dann geht das Mädchen mit irgend so einem dahergelaufenen Gaststar in ein Fischlokal! Meeresfrüchte essen oder Bouillabaisse! Während der Mann, der sie liebt, in einem schallisolierten Raum steht und bloß an sie denkt, mit nichts als diesem unförmigen Instrument in den Händen, auf dem er nicht einen, nicht einen einzigen Ton spielen kann, den sie singt!...

Wissen Sie, was ich brauche? Ich brauche immer eine Frau, die ich nicht kriege. Aber so wenig wie ich *sie* kriege, brauche ich auch wieder keine.

Einmal wollt ich es zwingen, bei der Probe zu Ariadne. Sie hat Echo gesungen, das ist nicht viel, ein paar Takte bloß, und der Regisseur hat sie auch nur ein einziges Mal nach vorn an die Rampe geschickt. Von dort hätte sie mich sehen können, wenn sie geschaut hätte, wenn sie nicht den GMD fixiert hätte... Ich hab mir überlegt, wenn ich jetzt etwas tue, wenn ich ihre Aufmerksamkeit errege... daß ich den Baß umschmeiß oder daß ich dem Cello vor mir mit dem Bogen reinrenn oder daß ich einfach eklatant falsch spiele – bei ›Ariadne‹ hätte man es vielleicht gehört, da sind wir bloß zwei Bässe...

Aber dann hab ich es gelassen. Es sagt sich alles leichter, als es sich tut. Und Sie kennen unsern GMD nicht, der fühlt sich von einem falschen Ton persönlich beleidigt. Und dann wäre mir das auch zu kindisch gewesen, mit einem falschen Ton meine Beziehungen zu ihr anzuknüpfen... und wissen Sie, wenn Sie im Orchester spielen, gemeinsam mit den Kollegen, dann plötzlich vorsätzlich, sozusagen in voller Absicht danebenhaun ... – also ich kann das nicht. Da bin ich dann doch ein zu ehrlicher Musiker irgendwo, und ich habe mir gedacht, wenn du falsch spielen mußt, damit sie dich überhaupt zur Kenntnis nimmt, dann ist es besser, sie nimmt dich nicht zur Kenntnis. Sehen Sie, so bin ich.

Ich habe dann versucht, eklatant schön zu spielen, soweit das möglich ist auf meinem Instrument. Und ich habe mir gedacht, das soll mir jetzt ein Zeichen sein: Wenn ich ihr auffalle mit meinem schönen Spiel, und wenn sie herschaut, meinetwegen herschaut – dann soll sie die Frau fürs Leben sein, meine Sarah ewiglich. Wenn sie aber nicht herschaut – dann ist alles aus. Tjaja, so abergläubisch ist man in den Liebesdingen. – Sie hat dann nicht hergeschaut. Kaum habe ich angefangen, schön zu spielen, ist sie regiemäßig aufgestanden und wieder nach hinten gegangen. Es ist auch sonst niemand etwas aufgefallen. Nicht dem GMD und nicht dem Haffinger am ersten Baß direkt neben mir; nicht einmal der hat gemerkt, wie eklatant schön ich gespielt habe...

Gehen Sie oft in die Oper? Stellen Sie sich vor, Sie gehen in die Oper, heute abend meinetwegen, Festspielpremiere ›Rheingold‹. Über zweitausend Leute in Abendkleidern und dunklem Anzug. Es riecht nach frischgewaschenen Frauenrücken, nach Parfum und Deodorant. Die schwarze Smokingseide glänzt, die Nackenwülste glänzen, die Brillanten funkeln. In der ersten Reihe der Ministerpräsident mit Familie, Kabinettsmitglieder, internationale Prominenz. In der Intendantenloge der Intendant mit seiner Frau und seiner Freundin und seiner Familie und seinen Ehrengästen. In der GMD-Loge der GMD mit seiner Frau und Ehrengästen. Alles erwartet Carlo Maria Giulini, den Star des Abends. Die Türen werden leise geschlossen, der Kronleuchter hebt sich, die Lichter erlöschen, alles duftet und wartet. Giulini erscheint. Beifall. Er verbeugt sich. Seine frischgewaschenen Haare fliegen. Dann dreht er sich dem Orchester zu, letzter Huster, Stille. Er hebt die Arme, sucht Blickkontakt zur ersten Geige, Nicken, noch ein Blick, allerletztes Husten... –

Und dann, in diesem erhabenen Moment, wo die Oper zum Universum wird und der Moment zum Ursprungsmoment des Universums, da hinein, wo alles in gespanntester Erwartung harrt, den Atem anhält, die drei Rheintöchter schon hinterm geschloßnen Vorhang wie angenagelt stehen – da hinein, aus der hintersten Reihe des Orchesters, von dort her, wo die Kontrabässe stehen, der Schrei eines liebenden Herzens...

Er schreit.

...SARAH!!!

Eine kolossale Wirkung! – Am nächsten Tag steht's in der Zeitung, ich fliege aus dem Staatsorchester, gehe zu ihr mit einem Blumenstrauß, sie öffnet die Türe, sieht mich zum ersten Mal, ich stehe da wie ein Held, ich sage: »Ich bin der Mann, der Sie kompromittiert hat, denn ich liebe Sie«, wir fallen uns in die Arme, Vereinigung, Seligkeit, höchstes Glück, die Welt versinkt unter uns. Amen. –

Ich habe natürlich versucht, mir Sarah aus dem Kopf zu schlagen. Wahrscheinlich ist sie menschlich völlig unzulänglich; charakterlich eine Null; geistig hoffnungslos unterbelichtet; einem Manne meines Formats überhaupt nicht gewachsen...

Aber dann höre ich bei jeder Probe ihre Stimme, diese Stimme, dieses göttliche Organ. – Wissen Sie, eine schöne Stimme ist an und für sich geistvoll, die Frau kann noch so blöd sein, finde ich, das ist das Grauenvolle an der Musik.

Und dann ist da eben die Erotik. Ein Feld, dem sich kein Mensch entziehen kann. Ich will es einmal so sagen: Wenn sie singt, Sarah, das geht mir dermaßen unter die Haut, das ist beinahe sexuell – bitte das jetzt nicht falsch zu verstehen. Aber manchmal wache ich in der Nacht auf – brüllend. Ich brülle, weil ich sie im Traum singen höre, mein Gott! Gottseidank habe ich die Akustikplatten. Ich bin schweißgebadet, und dann schlafe ich wieder ein – und wache wieder auf von meinem eigenen Brüllen. Und so geht das die ganze Nacht: sie singt, ich brülle, schlafe ein, sie singt, ich brülle, schlafe ein und so weiter... Das ist die Sexualität.

Aber manchmal – wo wir schon beim Thema sind – erscheint sie mir auch tags. Natürlich nur in der Vorstellung. Ich... es klingt jetzt komisch... ich denke mir dann, sie würde vor mir stehen, ganz dicht, so wie der Baß jetzt. Und ich könnte nicht an mich halten, ich müßt sie umarmen... so... und mit der anderen Hand so... wie mit dem Bogen gleichsam... über ihren Hintern... oder andersherum, so, wie beim Kontrabaß von hinten herum, und mit der linken Hand an ihren Brüsten, so wie in der dritten Lage auf der G-Saite... solistisch... ein bißchen schwer zum Vorstellen jetzt – und mit rechts von außen herum mit dem Bogen, so, unten, und dann so und so und so...

Er fuhrwerkt mit wirren Griffen auf dem Kontrabaß herum, läßt dann davon ab, setzt sich erschöpft in seinen Sessel und schenkt Bier nach.

...

... Ich bin Handwerker. Innerlich bin ich Handwerker. Musiker bin ich nicht. Ich bin bestimmt nicht musikalischer als Sie. Ich mag Musik. Ich kann hören, wenn eine Saite falsch gestimmt ist, und zwischen einem halben und einem ganzen Ton kann ich unterscheiden. Aber ich kann nicht *eine* musikalische Phrase spielen. Nicht einen einzigen Ton kann ich schön spielen... – und sie macht ihren Mund auf, und alles, was herauskommt, ist herrlich. Und wenn sie tausend Fehler macht, es ist herrlich! Und es liegt nicht am Instrument. Meinen Sie, Franz Schubert fängt seine 8. Sinfonie mit einem Instrument an, auf dem man nicht schön spielen kann? Was denken Sie eigentlich von Schubert! – Aber *ich* kann es nicht. An mir liegt es.

Technisch spiel ich Ihnen alles. Technisch habe ich eine hervorragende Ausbildung genossen. Technisch, wenn ich will, spiel ich Ihnen jede Suite von Bottesini, das ist der Paganini des Kontrabasses, da gibt es nicht viele, die mir das nachspielen würden. Technisch, wenn ich einmal wirklich hinüben würde, aber ich übe nicht, weil es bei mir keinen Sinn hat, weil es bei mir an der

Substanz fehlt, weil, wenn es nicht innen weit fehlen würde, verstehen Sie, innen, im Musikalischen – und ich kann das beurteilen, denn so weit fehlt es noch nicht, so weit reicht es noch – und da unterscheide ich mich von andern, positiv –, ich hab Kontrolle über mich, ich weiß noch, Gottseidank, was ich bin und was ich nicht bin, und wenn ich mit fünfunddreißig als Beamter auf Lebenszeit im Staatsorchester sitze, so blöd bin ich nicht, daß ich wie mancher andre denke, ich bin ein Genie! Ein beamtetes Genie! Ein verkanntes, zu Tode verbeamtetes Genie, das im Staatsorchester Kontrabaß spielt...

Ich hätt ja Geige lernen können, wenn es so weit her ist, oder Komposition, oder Dirigieren. Aber dazu reicht es nicht. Es reicht gerade so weit, daß ich auf einem Instrument, das ich nicht mag, so herumkratze, daß die andern nicht merken, wie schlecht ich bin. Warum ich das tue? –

Er fängt plötzlich zu schreien an.

... Warum *nicht!?* Warum soll es mir besser gehen als Ihnen? Ja, Ihnen! Sie Buchhalter! Exportsachbearbeiter! Fotolaborantin! Sie Volljurist!...

In seiner Erregung ist er ans Fenster gegangen und hat es aufgerissen. Der Straßenlärm flutet herein.

... Oder gehören Sie wie ich zur privilegierten Klasse derer, die noch mit ihren Händen arbeiten dürfen? Vielleicht sind Sie auch einer von denen dort draußen, die acht Stunden täglich mit Preßlufthämmern Betonfußböden zertrümmern. Oder einer von denen, die ständig die Mülltonnen gegen die Müllwagen schmeißen, damit der Müll herausfliegt, acht Stunden lang. Entspricht *das* Ihren Talenten? Würde es Sie kränken, daß womöglich ein andrer die

Mülltonne besser hinschmeißt als Sie? Sind Sie auch so erfüllt von Idealismus und selbstloser Hingabe an Ihre Arbeit wie ich? Ich drücke auf vier Saiten mit den Fingern der linken Hand, bis mir das Blut herauskommt; und ich streiche mit einem Roßhaarbogen darauf herum, bis mir der rechte Arm lahm wird; und ich produziere dadurch ein Geräusch, das benötigt wird, ein Geräusch. Das einzige was mich von Ihnen unterscheidet ist, daß ich meine Arbeit gelegentlich im Frack verrichte...

Er schließt das Fenster.

... Und der Frack, der wird gestellt. Nur für das Hemd, da muß ich selber sorgen. Ich muß mich jetzt dann umziehen.

Entschuldigen Sie. Ich habe mich erregt. Ich wollte mich nicht erregen. Ich wollte Sie nicht beleidigen. Ein jeder steht an seinem Platz und tut sein Bestes. Und nicht an uns ist es zu fragen, wie er dort hingekommen ist, warum er dort bleibt und ob ... –

Manchmal mach ich mir wirklich saumäßige Vorstellungen, entschuldigen Sie. Vorhin, wo ich mir Sarah vor mich hingedacht habe wie einen Kontrabaß, sie, die Frau meiner Träume vor mich hingedacht als einen Kontrabaß. Sie, den Engel, der musikalisch so weit über mir steht ... schwebt ... hingedacht vor mich als Dreckskasten von Kontrabaß, den ich mit meinen verhornten Drecksfingern befingere und mit meinem verlausten Drecksbogen bestreiche ... Pfui Teufel, das sind saumäßige Vorstellungen, es kommt über mich, rauschhaft, manchmal, wenn ich denke, triebhaft, unabweisbar. Von Natur aus bin ich kein triebhafter Mensch. Von Natur aus bin ich gezügelt. Nur wenn ich denke, werde ich triebhaft. Wenn ich denke, dann holt mich meine Phantasie ein wie ein geflügeltes Pferd und galoppiert mich nieder.

»Das Denken«, sagt ein Freund von mir – er studiert seit zweiundzwanzig Jahren Philosophie und promoviert jetzt –, »Das Denken ist eine zu schwierige Sache, als daß jedermann darin herumdilettieren dürfte.« Er – mein Freund – würde sich auch nicht hinsetzen und die Hammerklaviersonate herunterspielen. Weil er das nicht kann. Aber jedermann glaubt, daß er denken kann, und denkt zügellos drauflos, das ist der große Fehler heutzutage, sagt mein Freund, und darum passieren diese Katastrophen, an denen wir noch zugrunde gehen werden, alle miteinander. Und ich sage: Er hat recht. Mehr sage ich nicht. Ich muß mich jetzt umziehen.

Er entfernt sich, holt seine Kleider, spricht, während er sich anzieht, weiter.

Ich bin – entschuldigen Sie, daß ich jetzt etwas lauter werde, aber wenn ich Bier genossen habe, werde ich lauter –, ich bin als Mitglied des Staatsorchesters quasi Beamter und als solcher unkündbar. Ich habe eine feste Wochenstundenzahl und fünf Wochen Urlaub. Versicherung im Krankheitsfall. Alle zwei Jahre automatische Anhebung der Bezüge. Später Pension. Ich bin total abgesichert...

Wissen Sie – das macht mir manchmal eine solche Angst, ich... ich... ich trau mich manchmal nicht mehr aus dem Haus, so sicher bin ich. Ich bleib in meiner Freizeit – ich hab viel Freizeit –, ich bleib lieber zuhaus, aus Angst, wie jetzt, wie soll ich Ihnen das erklären? Es ist eine Beklemmung, ein Alpdruck, ich habe eine wahnsinnige Angst vor dieser Sicherheit, es ist wie eine Klaustrophobie, eine Festanstellungspsychose – gerade beim Kontrabaß. Denn einen freien Baß gibt es ja nicht. Wo denn? Als Baß ist man lebenslänglich verbeamtet. Selbst unser GMD hat nicht diese

Sicherheit. Unser GMD hat einen Vertrag auf fünf Jahre. Und wenn sie ihm den nicht verlängern, dann fliegt er. Theoretisch wenigstens. Oder der Intendant. Der Intendant ist allmächtig – aber er kann fliegen. Unser Intendant – Beispiel jetzt –, wenn er eine Oper von Henze bringt, dann fliegt er. Nicht augenblicklich, aber todsicher. Weil Henze ist Kommunist, und dafür haben wir kein Staatsschauspiel. Oder es könnt eine politische Intrige geben...

Aber ich flieg nie. Ich kann spielen und lassen was ich will, ich flieg nicht. Gut, Sie können sagen, das ist halt mein Risiko; das ist immer so gewesen; ein Orchestermusiker war immer festangestellt; heut als Staatsbeamter, vor zweihundert Jahren als Hofbeamter. Aber damals konnte wenigstens der Fürst sterben, und dann konnte es sein, daß man die Hofkapelle auflöst, theoretisch. Das ist doch heute ganz unmöglich. Ausgeschlossen. Da kann passieren was will. Sogar im Krieg – ich weiß das doch von älteren Kollegen –, die Bomben sind gefallen, alles war hin, die Stadt, sie lag in Schutt und Asche, die Oper brannte lichterloh – aber im Keller saß das Staatsorchester, Probe morgen früh um neun. Es ist zum Verzweifeln. Ja natürlich, ich kann kündigen. Freilich. Ich kann hingehen und kann sagen: Ich kündige. Es wäre ungewöhnlich. Es haben noch nicht viele gemacht. Aber ich könnte es machen, es wäre legal. Dann wär ich frei... Ja und dann!? Was mach ich dann? Dann steh ich auf der Straße...

Es ist zum Verzweifeln. Man verelendet. So – oder so...

Pause. Er beruhigt sich. Das Folgende im Flüsterton.

... Außer, daß ich noch heute abend die Vorstellung schmeiße und Sarah schrei. Es wäre ein herostratischer Akt. Vor dem Ministerpräsidenten. Zu ihrem Ruhm und meiner Entlassung. Es wäre nie dagewesen. Der Schrei des Kontrabasses. Vielleicht bricht Panik aus. Oder der Leibwächter des Ministerpräsidenten erschießt mich. Aus Versehen. Aus einer Kurzschlußreaktion heraus. Oder er erschießt aus Versehen den Gastdirigenten. Auf jeden Fall wäre etwas los. Mein Leben würde sich entscheidend ändern. Es wäre ein Einschnitt in meine Biographie. Und selbst wenn ich Sarah damit nicht bekomme, sie wird mich nie vergessen. Ich werde zu einer ständigen Anekdote ihrer Laufbahn, ihres Lebens. Das wäre diesen Schrei wert. Und ich würde fliegen... fliegen... wie ein Intendant.

Er setzt sich hin und nimmt noch einmal einen tiefen Schluck Bier.

Vielleicht tu ich es wirklich. Vielleicht geh ich jetzt hin, so wie ich bin, stelle mich hinein und tue diesen Schrei... Meine Herren!... – Die andere Möglichkeit ist die Kammermusik. Brav sein, fleißig sein, üben, viel Geduld, erster Bassist in einem B-Orchester, kleine Kammermusikvereinigung, Oktett, Schallplatte, zuverlässig sein, flexibel, sich einen kleinen Namen machen, in aller Bescheidenheit, und heranreifen für das Forellenquintett. –

Als Schubert so alt war wie ich, da war er schon drei Jahre tot.

Ich muß jetzt gehen. Um halb acht fängt's an. Ich lege Ihnen noch eine Platte auf. Schubert, Quintett für Klavier, Violine, Bratsche, Cello und Kontrabaß in A-Dur, geschrieben 1819, im Alter von zweiundzwanzig Jahren, ein Auftragswerk für einen Bergwerksdirektor in Steyr...

Er legt die Platte auf.

... Und ich gehe jetzt. Ich geh jetzt in die Oper und schrei. Wenn ich mich trau. Sie können es ja morgen in der Zeitung lesen. Auf Wiederschaun!

Seine Schritte entfernen sich. Er verläßt das Zimmer, die Haustür fällt ins Schloß. In diesem Moment beginnt die Musik: Schubert, Forellenquintett, 1. Satz.

Bitte beachten Sie auch
die folgenden Seiten

Patrick Süskind
im Diogenes Verlag

Der Kontrabaß

»Dem Autor gelingt eine krampflösende Drei-Spezialitäten-Mischung: von Thomas Bernhard das Insistierende; von Karl Valentin die aus Innen hervorbrechende Slapstickkomik; von Kroetz die detaillierte Faktenfreude und eine Genauigkeit im Sozialen.«
Münchner Merkur

»Was noch kein Komponist komponiert hat, das schrieb jetzt ein Schriftsteller, nämlich ein abendfüllendes Werk für einen Kontrabaß-Spieler.«
Dieter Schnabel

Seit Jahren das meistgespielte Stück auf den deutschsprachigen Bühnen!

Das Parfum
Die Geschichte eines Mörders

»Ein Monster betritt die deutsche Literatur, wie es seit Blechtrommler Oskar Matzerath keines mehr gegeben hat: Jean-Baptiste Grenouille. Ein Literaturereignis.«
Stern, Hamburg

»Wir müssen uns eingestehen, die Phantasie, den Sprachwitz, den nicht anders als ungeheuerlich zu nennenden erzählerischen Elan Süskinds weit unterschätzt zu haben: so überraschend geht es zu in seinem Buch, so märchenhaft mitunter und zugleich so fürchterlich angsteinflößend.«
Frankfurter Allgemeine Zeitung

»Anders als alles bisher Gelesene. Ein Phänomen, das einzigartig in der zeitgenössischen Literatur bleiben wird.« *Le Figaro, Paris*

»Eine der aufregendsten Entdeckungen der letzten Jahre. Fesselnd. Ein Meisterwerk.«
San Francisco Chronicle

Die Taube

In fünf Monaten wird der Wachmann einer Pariser Bank das Eigentum an seiner kleinen Mansarde endgültig erworben haben, wird ein weiterer Markstein seines Lebensplanes gesetzt sein. Doch dieser fatalistische Ablauf wird an einem heißen Freitagmorgen im August 1984 jäh vom Erscheinen einer Taube in Frage gestellt.

»Ein rares Meisterstück zeitgenössischer Prosa, eine dicht gesponnene, psychologisch raffiniert umgesetzte Erzählung.« *Rheinischer Merkur, Bonn*

»Nicht nur riecht, schmeckt man, sieht und hört man, was Süskind beschreibt; er ist ein Künstler, auch wenn es darum geht, verschwundenes, verarmtes Leben in großer innerer Dramatik darzustellen. Eine Meistererzählung.« *Tages-Anzeiger, Zürich*

»Kaum Action hat die Geschichte, aber sie kommt wie ein Orkan über einen.« *Expreß, Köln*

Die Geschichte von Herrn Sommer
Mit zahlreichen Bildern
von Sempé

Herr Sommer läuft stumm, im Tempo eines Gehetzten, mit seinem leeren Rucksack und dem langen, merkwürdigen Spazierstock von Dorf zu Dorf, geistert durch die Landschaft und durch die Tag- und Alpträume eines kleinen Jungen...
Erst als der kleine Junge schon nicht mehr auf Bäume klettert, entschwindet der geheimnisvolle Herr Sommer.

»Eine klassische Novelle.« *Der Spiegel, Hamburg*

»Ein poetisches, filigranes Märchen aus der Kindheit,
voll bittersüßer Nostalgie.« *SonntagsZeitung, Zürich*

»Patrick Süskind erzählt mit einer selbstverständli-
chen Leichtigkeit, die dennoch nichts vom Schmerz
der frühen Jahre unterschlägt. Er trifft genau den rich-
tigen Erinnerungston zwischen Komik und Sehn-
sucht.« *Frankfurter Allgemeine Zeitung*

Drei Geschichten
und eine Betrachtung

»Patrick Süskinds sprachlich-rhythmische Eleganz
verleiht seinen Erzählungen eine Leichtigkeit, die –
ohne je leichtgewichtig zu werden – dem Schweren
das Bedrückende und dem Nebensächlichen das Be-
langlose nimmt. So witzig, anrührend und doch
kunstvoll distanziert wird da erzählt.«
Konrad Heidkamp / Die Zeit, Hamburg

»Hat man einmal zu lesen angefangen, will man gar
nicht mehr aufhören vor lauter unerhörten Begeben-
heiten, liest, wie man zuletzt als Kind gelesen hat, lauter Geschichten, die vor allem eins zu sein scheinen:
altmodisch spannend.«
Heinrich Detering / Frankfurter Allgemeine Zeitung

Zusammen mit Helmut Dietl:

Vom Suchen und Finden
der Liebe

Vollständiges Drehbuch mit zahlreichen Fotos aus dem Film,
mit einem Vorwort von Helmut Dietl
und einem Nachwort von Patrick Süskind

Der Komponist Mimi Nachtigal und die Sängerin Venus Morgenstern verlieben sich unsterblich ineinan-
der, streiten sich sieben Jahre lang und trennen sich

schließlich. Nach der Trennung wird ihnen schmerzlich bewußt, daß sie die große Liebe ihres Lebens verloren haben. Zunächst versucht jeder von ihnen, seinen Kummer auf pragmatische Weise zu bewältigen: Venus nimmt sich einen neuen Freund, Mimi das Leben.

Als sie schließlich feststellen müssen – er im Jenseits, sie im Diesseits –, daß sie einfach nicht ohne einander sein können, scheint es zu spät. Verzweifelt, aber unerschütterlich im Glauben an eine Liebe, die über den Tod hinausgeht, steigt Venus, wie einst Orpheus, in die Unterwelt hinab, um ihren verlorenen Geliebten zurückzuholen...

»Die Geschichte des Orpheus berührt uns bis auf den heutigen Tag, weil sie eine Geschichte des Scheiterns ist. Der wunderbare Versuch, die beiden rätselhaften Urgewalten der menschlichen Existenz, die Liebe und den Tod, miteinander zu versöhnen und die wildere der beiden wenigstens zu einem kleinen Kompromiß zu bewegen, ging am Ende daneben.«
Patrick Süskind in seinem Nachwort

Sempé
im Diogenes Verlag

Jean-Jacques Sempé wurde am 17. August 1932 in Bordeaux geboren. Mit 19 fand er zu seinem Beruf, Zeichner, obschon er damit auf Traumberufe wie Jazzmusiker, Dirigent oder Fußballspieler verzichten mußte. Seine Zeichnungen erschienen in vielen Zeitschriften. Er lebt seit langem in Paris. Unumgänglich ist es, zusammen mit Sempé Namen wie René Goscinny, Patrick Modiano und Patrick Süskind zu erwähnen. Ohne sie wären Figuren wie die kleine Tänzerin Catherine, Herr Sommer und vor allem der kleine Nick undenkbar.

»Als einfühlsamer Menschenbeobachter zeigt er ironisch-melancholisch die Mißverhältnisse von Mensch und übertechnisierter Hochhaus- und Autokultur auf, macht die Gegensätze des friedlichen Bürgers und des bedrohlichen Großstadttrummels, das kleine Glück des Einzelnen und das konsumdiktierte der Gesellschaft sichtbar. Er zeichnet die großen Sehnsüchte, aber auch die Schwächen der Menschen und ihre eingeengten Möglichkeiten. Sein Humor entsteht meist aus dem Zusammenprall zwischen einer unpersönlichen Konsumwelt und dem von ihr erfaßten Einzelnen. Diese bewegt graziösen, zugleich distanzierten Bilder erteilen keine Botschaft, predigen keine Moral, sondern bringen den Betrachter zum Schmunzeln und stimmen ihn nachdenklich.« *Mirjam Morad / Wiener Zeitung*

Carlino Caramel
Aus dem Französischen von Anna Cramer-Klett

Fenster
Mit einer Einführung von Claus Heinrich Meyer

Unergründliche Geheimnisse
Deutsch von Patrick Süskind

*Das Geheimnis
des Fahrradhändlers*
Deutsch von Patrick Süskind

Traumtänzer
Deutsch von Anna Cramer-Klett und Jürgen König

Schöne Aussichten
Deutsch von Anna Cramer-Klett

Sempé's Paris

Sempé's Musiker
Veränderte und stark erweiterte Neuausgabe

Heiter bis wolkig
Deutsch von Anna Cramer-Klett

Patrick Süskind & Sempé
Die Geschichte von Herrn Sommer
Mit Bildern von Sempé

Sempé illustrierte außerdem sämtliche Nick-Geschichten von Goscinny, dem Asterix-Autor:

Der kleine Nick

Der kleine Nick und seine Bande

Der kleine Nick und die Schule

Der kleine Nick und die Ferien

Der kleine Nick und die Mädchen
Alle übersetzt von Hans-Georg Lenzen

Erich Hackl
im Diogenes Verlag

Auroras Anlaß

Erzählung

»Eines Tages sah sich Aurora Rodríguez veranlaßt, ihre Tochter zu töten.« So beginnt die außergewöhnliche Geschichte der Aurora Rodríguez, die auf der Suche nach Selbstverwirklichung an die Schranken gesellschaftlicher Konventionen stößt und ihre Träume von einer besseren Welt von einer anderen, fähigeren Person realisiert sehen möchte: einer Frau, ihrer Tochter Hildegart.

»Souverän und stilsicher erzählt Erich Hackl einen ganz einmaligen Fall; zugleich gibt er einen Einblick in das Spanien der Zeit vor Franco und vor dem Bürgerkrieg. Der Erzähler drängt dem Leser keine politischen Lehren auf, doch er bringt ihn zum Nachdenken. Und vor allem: er unterhält ihn aufs beste mit einem spannenden Buch, das keine Längen hat. Dies ist ein Debüt, das auf Kommendes neugierig macht.«
Der Tagesspiegel, Berlin

»Ein großartiges Debüt.« *Le Monde, Paris*

Ausgezeichnet mit dem Aspekte-Literaturpreis 1987.

Abschied von Sidonie

Erzählung

»Man liest die Geschichte des Zigeunermädchens Sidonie mit angehaltenem Atem, als handelte es sich um ein einmaliges Geschehen, als hätte es nicht millionenfach ähnliche Schicksale gegeben. Aber der Autor weiß und der Leser spürt: Diese Geschichte ist einmalig, so wie jedes Individuum einmalig ist.«
Neue Zürcher Zeitung

»Erich Hackl erzählt den authentischen Fall unprä-
tentiös schlicht, wie eine Kalendergeschichte – und
erzeugt heilsame Wut gegen Denunziantentum.«
Stern, Hamburg

Abschied von Sidonie
Materialien zu einem Buch und seiner Geschichte
Herausgegeben von Ursula Baumhauer

Nur wenige Bücher haben eine so fesselnde Entste-
hungs- und Wirkungsgeschichte wie Erich Hackls Erzählung *Abschied von Sidonie.* Aufgrund des großen
Interesses zumal von jungen Lesern – die Erzählung
ist dabei, ein Schulklassiker zu werden – enthält der
Band Vorstufen der Erzählung sowie das Drehbuch
Sidonie, außerdem Fotos, Dokumente und Gesprächs-
protokolle mit Angehörigen des Mädchens, das 1943 –
kaum zehn Jahre alt – verschleppt und in Auschwitz-
Birkenau ermordet worden ist. Dazu Essays über das
gesellschaftliche wie ästhetische Umfeld, also über die
Verfolgung der Sinti und Roma, über die Bemühun-
gen um ein Denkmal für Sidonie Adlersburg, über
eingreifendes Schreiben, über das Verhältnis von Do-
kument und Fiktion sowie über die Aufnahme der Erzählung vor Ort und anderswo. Ein grundlegendes
Arbeitsmittel, nicht nur für Lehrer und Schüler.

König Wamba
Ein Märchen. Mit Zeichnungen von Paul Flora

»Das Märchen von Macht, Usurpation, Sanftmut und
List erzählt Hackl lakonisch, klar, ohne auf poetischen Stelzen zu schreiten. Er bringt seine Geschichte
so rein, deutlich und sicher ins Wort, wie unverfälsch-
te Märchenerzähler das können. Simplizität als Merk-
mal von Wahrheit – und Genie. Allerhöchstes Lese-
vergnügen!« *Ute Blaich / Die Zeit, Hamburg*

Sara und Simón
Eine endlose Geschichte

Sara Méndez flieht 1973 aus Uruguay und wird kurz nach der Geburt ihres Kindes vom Geheimdienst verschleppt. Ihren Sohn Simón muß sie zurücklassen – einen von Tausenden ›Verschwundenen‹. Erst Mitte der achtziger Jahre stößt sie auf die Spur eines ausgesetzten Jungen, bei dem es sich wahrscheinlich um Simón handelt. Ihrem Verlangen, Gewißheit zu bekommen, widersetzen sich alle anderen betroffenen Parteien: die Justiz, die Adoptiveltern des Jungen und der Junge selbst. Hackl erzählt diesen genau recherchierten Fall in einer klaren, poetischen Sprache, und er ergänzt die ›endlose Geschichte‹ um ihr unerwartetes und glückliches Ende.

»Drei Jahre hat Hackl für *Sara und Simón* vor Ort recherchiert, und das Ergebnis ist frei von Verkünderpathos. Ein schlichter, berührender Tatsachenbericht mit dem durch nichts zu übertreffenden Vorzug der Wahrheit.« *News, Wien*

In fester Umarmung
Geschichten und Berichte

Unbeirrt von Lärm und Hast der Tagesaktualität erzählt Erich Hackl Geschichten von Aufruhr und Widerstand, Wut und Geduld, Würde und Freundschaft. Geschichten über ein Gelage und über die Winde, die dabei entschlüpfen; über Liebesbriefsteller und ihren zweifelhaften Nutzen; über die Entdeckung der Stadt Schleich-di; über die Wiederkehr des Che Guevara; über Gedichte einer Frau, die immer alles gewußt hat, und über Gedichte einer Frau, die sich nie überschätzt hat; immer wieder über Menschen, denen der Autor zugetan ist – ›in fester Umarmung‹.

»Hackl ist einer der wenigen deutschsprachigen Autoren, denen es gelingt, Literatur und Politik zu verei-

nigen. Seine politische Literatur geht unter die Haut und ins Hirn, sie überzeugt und ermutigt.«
Sabine Peters / Basler Zeitung

Entwurf einer Liebe
auf den ersten Blick

Erzählung

Eine Liebesgeschichte, die am Krankenbett beginnt: Im Januar 1937 wird der österreichische Spanien-kämpfer Karl Sequens in ein Krankenhaus der Stadt Valencia eingeliefert. Als Herminia Roudière Perpiñá ihn dort kennenlernt, ist es für beide Liebe auf den ersten Blick. Sie heiraten, überstürzt, als wüßten sie, daß ihnen nicht viel Zeit bleibt. Nach einem Jahr kommt ihre Tochter Rosa María zur Welt, kurz vor der Niederlage der spanischen Republik trennen sich ihre Wege. Herminia flieht mit dem Kind nach Frankreich, später nach Wien, zu Karls Schwester, die sie bald darauf nach Bayern evakuieren läßt. Jahrelang ist Herminia ohne Nachricht von ihrem Mann, bis drei Briefe eintreffen: aus Dachau, aus Lublin, aus Auschwitz.

»Ein stiller, bestürzender Tatsachenbericht, große Literatur über kleine Leute.«
Dagmar Kaindl / News, Wien

Die Hochzeit von Auschwitz

Eine Begebenheit

Die Geschichte des Österreichers Rudi Friemel und der Spanierin Marga Ferrer, die sich während des spanischen Bürgerkriegs kennenlernten, durch die Ereignisse immer wieder getrennt wurden und ihre Liebe endlich – unter unmöglichen Umständen – legalisieren dürfen: Rudi ist seit Anfang 1942 Häftling im KZ Auschwitz, und am 18. März 1944 darf Marga Ferrer das Todeslager für einen Tag und eine Nacht betreten, um mit ihm den Bund fürs Leben einzugehen. Hoffnung erweckender Ausnahmezustand oder äußerster Zynismus der Machthabenden? Auf jeden Fall eine wahrhaft unerhörte Begebenheit, die nicht nur dem Brautpaar viel bedeutet. Sie wird auch für Auschwitz folgenreich sein.

»Ich weiß nicht, wo Hackl seine Stoffe findet. Sie klingen anvertraut: Jemand hat seine Geschichte dem Autor in die Hand gelegt in der Hoffnung, die Geschichte werde, beleuchtet von seiner Sprache, ihr wahres Gesicht zeigen.«
Margrit Irgang / Bayerischer Rundfunk, München

Anprobieren eines Vaters
Geschichten und Erwägungen

Unauslöschliche Geschichten: Von einem Kind, dessen Eltern vergessen haben, es zu lieben, und was aus ihm geworden ist. Von einer Frau, die ungern von sich spricht und im Erinnerungsnebel zu verschwinden droht. Von einem Mann, der aus Liebe das größte Geheimnis hütet. Von einem Großvater, der sein verschlepptes Enkelkind sucht und weiß, daß die eigenen Kinder für ihn sterben mußten. Von einem Revolutionär, der immer wieder von den Toten aufersteht. Erwägungen über die zehn Gebote eines Erzählers, über ein Land mit zwei Waagschalen, über die Besichtigung eines Museums der besonderen Art und über die Frage, wie ein Stück Würfelzucker unter zehn Menschen aufzuteilen ist.
Dazu Porträts von Autoren, die zu bedeutend sind, als daß sie im Literaturbetrieb wahrgenommen würden.

»Ein besessener Rechercheur und Grenzgänger zwischen Literatur und literarisch-historischer Reportage.« *Eva Menasse / Frankfurter Allgemeine Zeitung*

Hans Werner Kettenbach
im Diogenes Verlag

»Schon lange hat niemand mehr – zumindest in der deutschen Literatur – so erbarmungslos und so unterhaltsam zugleich den Zustand unserer Welt beschrieben.« *Die Zeit, Hamburg*

»Hans Werner Kettenbach erzählt in einer eigenartigen Mischung von Zartheit, Humor und Melancholie, aber immer auf erregende Art glaubwürdig.«
Neue Zürcher Zeitung

»Dieses Nie-zuviel-an Wörtern, diese unglaubliche Leichtigkeit und Selbstverständlichkeit… ja, das ist in der zeitgenössischen Literatur einzigartig!«
Visa Magazin, Wien

»Ein beweglicher ›Weiterschreiber‹ nicht nur der Nachkriegsgeschichte, sondern der Geschichte der Bundesrepublik ist Hans Werner Kettenbach. Seine Romane aus dem bundesrepublikanischen Tiergarten sind viel unterhaltsamer und spitzer als alle Weiterschreibungen Bölls.« *Kommune, Frankfurt*

Minnie oder Ein Fall von Geringfügigkeit
Roman

Hinter dem Horizont
Eine New Yorker Liebesgeschichte

Sterbetage
Roman

Schmatz oder Die Sackgasse
Roman

Der Pascha
Roman

Der Feigenblattpflücker
Roman

Die Schatzgräber
Roman

Grand mit vieren
Roman

Glatteis
Roman

Die Konkurrentin
Roman

Kleinstadtaffäre
Roman

Hartmut Lange
im Diogenes Verlag

Hartmut Lange, 1937 in Berlin-Spandau geboren, studierte an der Filmhochschule Babelsberg Dramaturgie. Er lebt in Berlin und schreibt Dramen, Essays und Prosa. 1998 wurde er mit dem Literaturpreis der Konrad-Adenauer-Stiftung ausgezeichnet.

»Hartmut Lange hat einen festen Platz in der deutschen Literatur der Gegenwart. Dieser Platz ist nicht bei den Lauten, den Grellen, den Geschwätzigen, sondern bei den Nachdenklichen, bei denen, die Themen und Mittel sorgfältig wählen.« *Kieler Nachrichten*

»Die mürbe Eleganz seines Stils sucht in der zeitgenössischen Literatur ihresgleichen.«
Frankfurter Allgemeine Zeitung

»Dieser Autor verdient es, daß man ihn mit ganz besonderer Aufmerksamkeit liest.«
Le Figaro, Paris

Die Selbstverbrennung
Roman

Das Konzert
Novelle

Tagebuch eines Melancholikers
Aufzeichnungen der Monate Dezember 1981 bis November 1982

Die Ermüdung
Novelle

Vom Werden der Vernunft
und andere Stücke fürs Theater

Die Wattwanderung
Novelle

Die Reise nach Triest
Novelle

Die Stechpalme
Novelle

Schnitzlers Würgeengel
Vier Novellen

Der Herr im Café
Drei Erzählungen

Eine andere Form des Glücks
Novelle

Die Bildungsreise
Novelle

Das Streichquartett
Novelle

Irrtum als Erkenntnis
Meine Realitätserfahrung als Schriftsteller

Gesammelte Novellen
in zwei Bänden

Leptis Magna
Zwei Novellen

Bernhard Schlink
im Diogenes Verlag

»Schwungvoll geschriebene, raffiniert gebaute Romane, in denen die politische Aktualität und die deutsche Vergangenheit präsent sind.«
Dorothee Nolte / Der Tagesspiegel, Berlin

»Bernhard Schlink gehört zu den Autoren, die sinnlich, intelligent und spannend erzählen können – eine Seltenheit in Deutschland.«
Dietmar Kanthak / General-Anzeiger, Bonn

»Bernhard Schlink gelingt das in der deutschen Literatur seltene Kunststück, so behutsam wie möglich, vor allem ohne moralische Bevormundung des Lesers, zu verfahren und dennoch durch die suggestive Präzision seiner Sprache ein Höchstmaß an Anschaulichkeit zu erreichen.« *Werner Fuld / Focus, München*

»Bernhard Schlink ist ein sehr intensiver Beobachter menschlicher Handlungen, seelischer Prozesse. Man liest. Und versteht.«
Wolfgang Kroener / Rhein-Zeitung, Koblenz

Der Vorleser
Roman

Liebesfluchten
Geschichten

Die gordische Schleife
Roman

Selbs Betrug
Roman

Selbs Mord
Roman

Bernhard Schlink & Walter Popp
Selbs Justiz
Roman